海外漢文古醫籍精選叢書・第三輯

2011—2020年國家古籍整理出版規劃項目
2018年度國家古籍整理出版專項經費資助項目
中國中醫科學院「十三五」第一批重點領域科研項目
——我國與「一帶一路」九國醫藥交流史研究（ZZ10-011-1）

蕭永芝◎主編

删補方要 叁

〔日〕野謙亨 撰

15

北京科学技术出版社

海外漢文古醫籍精選叢書・第三輯

删補方要　叁

〔日〕野謙亨　撰

龜胸龜背顱顖顛

龜胸百合治肺熱　龜背松蘂療肺風

龜胸 醫林 ○百合丹 治龜胸

大黃七錢半　天門冬　杏仁　百合

桑白皮　葶藶子　木通　滑石煆各五錢

爲末蜜丸菉豆大每五丸食後臨臥熟水下

龜背 入門 ○松蘂丹 主龜背客風吹入於骨髓

松花　枳殼　防風　獨活各一錢

麻黃　前胡　大黃　桂心各五錢

爲末煉蜜丸黍米大每十丸粥飮下

解顱 腎氣解顱爲主劑　瀉青顖突熱風攻

直訣 ○地黄丸 治腎虚解顱或行遲語遲等症
地黄八兩 山茱萸 山藥各四兩 澤瀉
牡丹皮 茯苓各三兩
右地黄杵膏餘爲末蜜丸梧子大每二三十丸
空心白湯下
丹溪 ○八物湯加酒炒芩連 治解顱症○外用南星
白蘝爲末醋調攤紅帛上烘熱貼之

顖填

○瀉青丸 主肝盛風熱交攻以致顖填突起者
顖坑黄狗灸頭骨溫脾通心滯顖功
入門 ○氣血虚弱不能上充腦髓故顖陷如坑不得平
滿者黄狗頭骨灸黄爲末雞子清調敷

滯頤

醫林 ○溫脾丸 治脾胃虚冷而流涎不能收約

半夏　木香　丁香各五錢　薑蠶

白朮　青皮　陳皮各二錢半

爲末糊丸麻子大一歲一丸米湯下○李氏入門名木香半夏丸

○通心飲　通心氣利小便退潮熱分水穀

木通　連翹　瞿麥　山梔子

黃芩　甘草各三分

燈心水煎服○南豐李氏曰熱涎稠粘者乃胃火炎上也主之加麥門冬少許○春加防風蟬蛻○夏加茯苓車前○秋加牛房子升麻○冬加山梔連翹

治小兒久不語　百舌鳥肉炙食妙也　陳藏器

治兒齒不生　雄鼠屎兩頭圓者三七枚一日一枚拭其齒勿食鹹酸或入丁香少許尤妙　小品方

小兒行遲　三歲不能行者用此便走　五加皮五錢　木瓜　牛膝二錢半　爲末每服五分米飲入酒二三點調服　全幼心鑑

五軟五硬

頭軟　頭軟項柔羊角散手軟薏苡能舒筋

項軟　○羊角散　主肝胆伏熱面紅脣赤肌熱者

羚羊角　茯苓　虎脛骨　酸棗仁

桂心　地黄　防風　甘艸

各等分爲末每一錢酒調服○楚氏曰肝胆伏

熱加黄芩艸龍膽茈胡大黄○風氣入脏筋舒

頭項軟者加鬱金白薑蠶

手軟　醫林薏苡丸　治手拳不展蓋稟受肝氣怯弱致兩

脉攣縮者

當歸　秦艽　薏苡仁　酸棗仁

防風　羌活各一錢

爲末蜜丸雞頭大每一粒麝香荊芥湯化下

脚軟

脚柔腎氣宜加減身軟四君鹿四斤　主脚軟行遲骨

入門○腎氣丸加牛膝五加皮鹿茸

髓不充氣血不充筋弱不能束骨

身軟

○四君子湯　主身軟肉以皮膚自離飲食不爲

肌膚○或鹿茸四斤丸加當歸青鹽各等分

口軟

口軟菖蒲丸八味齒遲腎氣十全飲

醫林○菖蒲丸　治小兒在胎其母卒有驚怖邪乘心

舌本不通長四五歲猶不能言

人參　石菖蒲　麥門冬　遠志

川芎　當歸各二錢　乳香　辰砂各一錢

為末蜜丸麻子大每十丸米飲下
保嬰集曰小兒五六歲腎氣不足不能言者
用菖蒲丸口噤不能言者用地黄丸

齒遲 入門

○腎氣丸　主齒遲因稟氣不足則髓不能充骨
或十全太補湯加知母黄蘗

髪遲

髪遲六味蓯蓉效五硬風寒隨症分

○蓯蓉丸　治髪遲乃血氣不能上榮
蓯蓉　川芎　當歸　芍藥
熟地各等分　胡粉減半
為末蜜丸黍米大每十丸黑豆煎湯下仍磨化
抹頭上

五硬

○小續命湯　烏藥順氣散　主所受風邪頭項

四支強直氷冷

○五積散加烏藥薑蠶　主腹大骨痛不覺者

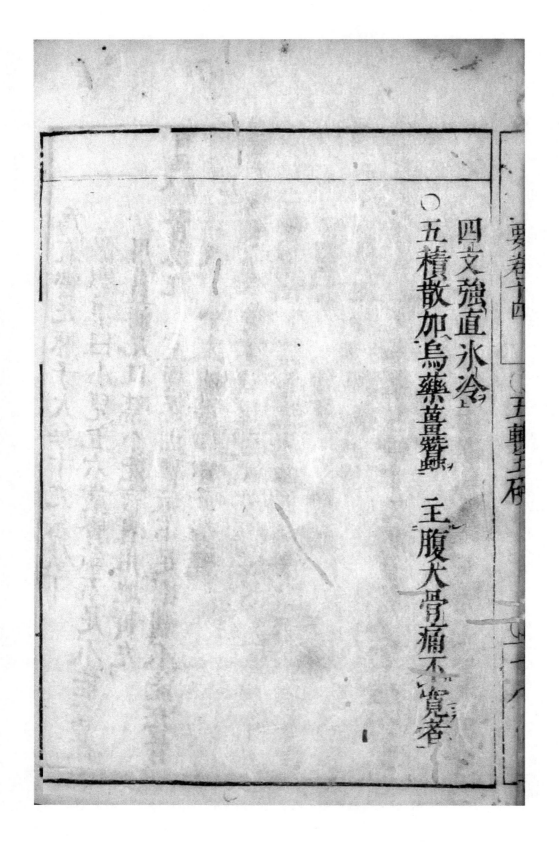

丹毒

胎毒

丹毒胎毒化毒丹

局方○五福化毒丹　治小兒蘊積毒熱驚惕狂燥煩赤咽乾口舌生瘡夜卧不寧譫語煩渴頭面身體多生瘡癤

玄參　桔梗各六兩　茯苓五兩　人參

芒硝枯過　青黛各二兩　甘艸生一兩　麝半戔

金箔　銀箔各八片為衣

為末蜜丸薄荷湯下○瘡疹後餘毒上攻口齒涎血臭氣生地黄自然汁化一丸鷄翎掃在口内熱疳黄瘦雀目夜不見物陳粟米泔化下食

後臨臥服○龔氏醫鑒犀角化毒丹陳白埜方
去參蘆消加犀角牛房子連翹生地○有驚加
辰砂爲衣

風熱	風熱敗毒散加紫艸或升麻葛根湯加朮苓木香枳殼安
烘衣	烘衣熱者四物湯梔子連翹入
鬱火	鬱火毋有鬱火加味逍遙散加漏蘆完
厚味	厚味毋食厚味漏蘆加入清胃散中服
食熱	食飲發熱四君湯加楂神麴纂
及胸	仙方活命飲去大黃及胸背甚重者與
毒陷	太劑連翹飲治毒入內肚腹膨脹二便不通干

小兒傷寒　渋竹瀝葛根汁各六合細々與服　千金方

要卷之十四

醫方提要卷之十五

兒科中

外感

風寒感冒大科同虛者惺惺入芎藭

局方○惺惺散　治小兒風熱瘡痒傷寒時氣頭痛壯熱目澁多睡咳嗽喘麁鼻塞清涕

人參　甘草　細辛　栝樓根

白茯苓　白朮　桔梗各一分半　薄荷三葉

每一錢水一盞煎四分溫服○李氏入門加芎藭川芎

入門○加減惺惺散蒼朮荊防芎芷細辛羌甘草當歸
天花粉赤芍薄荷桔梗良

風熱人參羌活散寒濕五積散尤功

局方○人參羌活散　治寒邪温病時疫頭疼發熱多
睡及潮熱煩渴痰實欬嗽

羌活　獨活　茈胡　人參各二錢
川芎　枳殼　茯苓　甘草各一錢
桔梗　地骨皮　前胡　天麻酒浸炙各半錢

每一錢水七分饑入薄荷少許煎五分溫服

喘嗽

風寒　風寒喘嗽參蘇飲或惺惺散

肺熱　肺熱可煎瀉白方

直訣○瀉白散　治肺實熱咳嗽痰喘

桑白皮　地骨皮各二錢　甘艸一錢

入粳米二十粒水煎溫服

心火　心火人參平肺散

薛氏○人參平肺散　治心火爍盛肺熱作喘嗽

人參　陳皮　甘艸　地骨皮

白茯苓　知母　五味子　青皮

天門冬　桑白皮

紫蘓子氣逆爲良

醫綱○紫蘓子湯　主氣逆不下喘齁飮逆方　仲陽先生

紫蘓子　柯子　萊服子　杏仁

木香　人參各等分　甘艸　青皮各减半

薑煎溫服

咽疼

咽疼甘桔湯尤妙久嗽阿膠散可望

直訣○甘桔湯　治欬吐熱涎咽喉不利

甘艸二錢　桔梗一錢

爲末每二錢入阿膠半片水煎服

久嗽

○阿膠散　治肺虛咳嗽口乾作渴

阿膠一兩　馬兠鈴五錢　糯米一兩

杏仁七粒　甘艸一錢　牛房子二錢半

水煎服
蓬溪李氏曰阿膠散用兜鈴非取其補肺乃取其清熱降氣也邪去則肺安矣其中所用阿膠糯米則正補肺之藥也

肺虛　肺弱不能攝氣而氣上逆投補中益氣湯

腎虛　腎虛火上炎肺熱作喘六味地黃丸量

胎毒　格致○東陽張進士次子二歲滿頭有瘡一日瘡忽自平遂患痰喘予問曰乃母孕時所喜何物曰辛辣熱物乃知此胎毒用人參連翹芎連生甘草陳皮芍藥木通濃煎沸湯入竹瀝與之數日而安

小兒口噤体熱 用竹瀝二合煖服分三四服 兵部手集

諸熱

實熱

實熱連翹清涼飲

醫鑑○大連翹飲　治小兒心經邪熱眼目腫赤脣口生瘡涕唾稠盛驚風痰熱等症宜此常利小腸小兒諸熱表裡俱宜

連翹　瞿麥　滑石　車前子

牛房子　赤芍各一分　山梔　木通

蟬蛻　當歸　防風各半分　黃芩

荊芥各一分半　柴胡　甘草各二分

水煎服○風熱痰熱變蒸肝熱大腸熱熱加[illegible]冬○實熱丹熱加大黃○胎熱瘡疥餘毒熱

薄荷○瘧癖加大黄芒硝

薑溪呉氏曰防荘蟬退解熱于表表有熱者自皮毛汗孔而泄荊芥牛房解熱于七竅目咽喉有熱者從口鼻而泄磆通梔子解熱于裏裏有熱者導之從小便而泄連翹去諸經之客熱黄芩去諸經之遊火乃甘艸者所以解熱于氣芍歸所以調熱于血也

局方○清凉飲子　治小兒血脉壅實府藏生熱頰赤多渴五心煩躁睡臥不寧四支驚掣及因乳哺不時寒溫失度血氣不理腸胃不調或溫壯連滯欲成伏熱或壯熱不歇欲發驚癇又治風熱結核頭面瘡癤目赤咽痛瘡疹餘毒一切壅滯

赤芍　當歸　甘艸　大黄各等分

爲末每一錢水一盞煎七分溫服微利爲度

薑溪呉氏曰大黄通其滞當歸活其血芍藥養其陰甘艸調其胃通利之後表裏氣血皆

承順矣故曰四順清凉飲

濟世○碧玉散　治小兒十分潮熱五七日不退

硝石一兩　青黛五分　石羔煆五分　甘草五分

爲末每二分滚湯調服熱不退柴胡菝苛湯下

虚熱　虚熱地骨與惺惺

醫林○地骨皮散　治虚熱潮熱亦治傷寒壯熱

知母　柴胡　甘草　人參

地骨皮　半夏　白茯苓各等分

薑水煎服

中山氏曰此小柴胡湯去芩加知母茯苓地骨皮此所以解風熱壯熱清勞熱虛熱也小兒風熱不止久成勞熱虛熱日日羸瘦骨立終及危殆者用此驗不少

○惺惺散　主虚熱面白汗出

虛陽　虛陽浮外參苓白朮散或錢氏白朮散

上熱　上熱下冷敗毒散加當歸木香寧

食積　食積潮熱肥兒丸單枳朮丸

痰熱　熱鬱升葛二陳湯加參芎五味子屛

骨蒸　骨蒸無汗生犀散有汗四君白朮靈

直訣○小生犀散　治心經虛熱

犀角二錢　地骨皮　赤芍　茈胡

葛根各一兩　甘艸五分

水煎服○王氏醫林曰治小兒骨蒸肌瘦頰赤口乾日晚潮熱及病後餘熱不除○楚氏曰有汗骨蒸加知母鱉甲○無汗骨蒸加牡丹皮青蒿○骨蒸熱極加大黃

五藏熱

○四君子湯　主骨蒸因大病後得者榮衛虛弱

心熱瀉心湯　單導赤瀉青丸　肝熱最良方腎虛有

熱投六味丸　肺熱瀉白散　脾熱瀉黃散

小兒霍乱 梳垢水服少許 千金方

吐瀉

初生　初生嘔吐爲胎毒錢氏木瓜要酌量

直訣　○木瓜丸　小兒初生下吐蓋拭掠兒口中穢惡不盡嚥入喉中故吐主之

木瓜　木香　麝香　輕粉

檳榔各一字

爲末麪糊爲丸如黍米大每二三丸甘草湯送下

傷乳　傷乳雲林消食散甚者萬億丸下之

痰　痰涎丁藿二陳湯甚者抱龍丸

驚　因驚氣逆成吐溫驚丸劑

虫　虫吐安虫丸最可良

濕　挾濕五苓散平胃散滲濕熱瀉濁者加黃芩○虛者異功散

蓬溪李氏曰曾世榮言小兒驚風及泄瀉並宜用五苓散以瀉丙火滲土濕内有桂能抑肝風而扶脾土

風　風邪頭痛釣藤散嘗

寒　寒冷理中丸益黃散主

暑　暑氣香薷散六和湯詳

氣陷　氣陷升陽益胃湯驗

胃虛　胃虛白朮散異功散望

直訣七味白朮散　治吐瀉或病後津液不足口乾作瀉

茯苓　人參　白朮　甘草

藿香　木香各一錢　葛根二錢

水煎服○虞氏正傳曰丹溪先生加山藥扁豆肉豆蔻生薑○慢驚已作加細辛天麻全蝎白付子○丹溪心法曰冬月吐蚘多是胃寒胃虛所致加丁香二粒○胃虛不能食而大渴不止者不可淡滲之藥乃胃中元氣少故也與此方補之加天花粉

豊溪吳氏曰脾虛者補之以甘故用四君味肌熱者療之以清故解以葛根脾困者醒之以香故佐以藿木

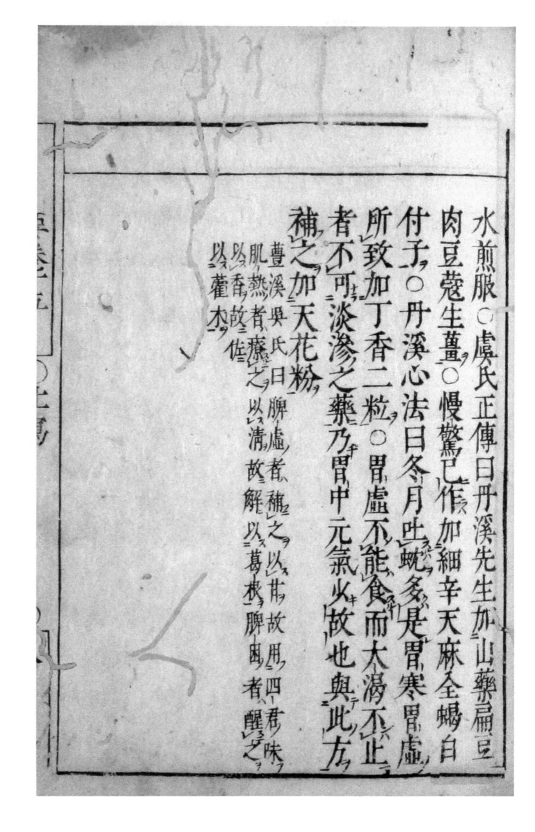

萬羅田曰小兒痢疾渴者七味白朮散去乾葛加炒乾姜黄連阿膠烏梅

又曰苦噤口者宜人參白朮散加石菖蒲爲末陳皮湯下

又去積保和丸去半夏茯苓加黄連麥芽賓郎只壳又胃爪湯去桂加黄連十分吴茱萸減半同炒酒糊爲丸可遠近血痢妙也

奇方　益母草八分益智霍香乾木香各五分

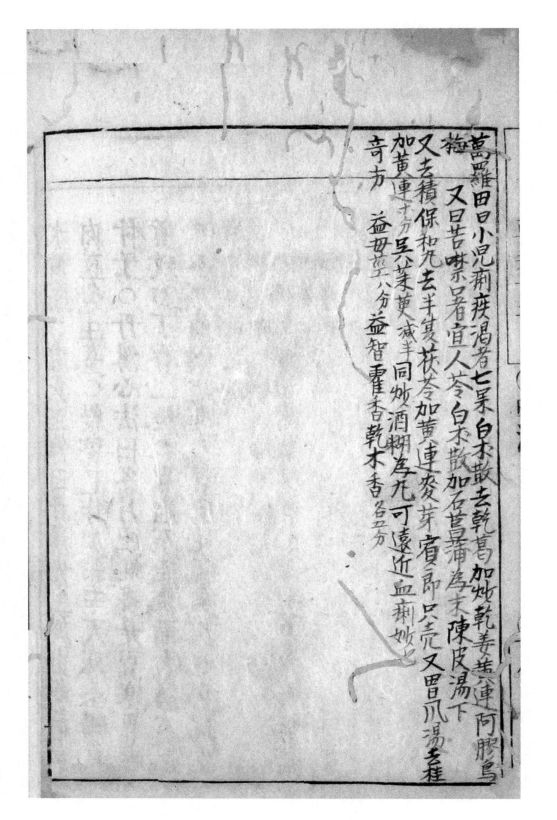

痢疾

痢白爲冷萬億丸赤爲熱芍藥湯安白紅相雜駐車去久滑眞人養藏湯完

局方○小駐車丸　治小兒冷熱不調或乳哺失節泄瀉不止或下利鮮血或赤或白必腹痛後重腸胃虛滑便數頻併減食困倦一切泄痢

當歸二兩黃連　乾薑各七錢半訶子一兩

爲末用阿膠一兩七錢半水煎成汁搜和爲丸如粟米大每二三十丸溫米飲下

治小兒脾疳　盧會　使君子　右分爲末每服米飲二三錢　濟生

五疳

熱疳

熱疳煩瀉胡連丸熱甚便祕化毒丹

直訣　胡黄連丸　治肥熱疳

胡黄連　黄連各半兩　硃砂二錢半　蘆薈二錢

埜氏曰湯共加烏梅天花粉瀉共加茯苓白朮 薛氏曰按前方嘗以本方爲主佐以四君子加蕪荑仁脾胃虚甚者以四君子加蕪荑仁爲主以前丸爲佐

醫林　五福化毒丹　主熱疳黄瘦雀目遇夜不見陳粟米湯下

冷疳

至聖冷疳冷下利肥兒丸冷熱不調完

醫林　至聖丸　治冷疳時時泄瀉虚汗不止

木香　丁香皮　丁香　厚朴
史君子　陳皮　肉豆蔻
爲末神麯糊丸麻子大每服七丸食前米飲下
○埜氏曰瀉加宿砂柯子

驚痹

心痹驚悸朱砂安神丸主之或溫驚丸
生熟地黃肝痹安之
醫林生熟地黃湯　治肝痹搖頭揉目白膜遮睛腦熱羸瘦
生地黃　熟地黃　川芎　茯苓
枳實　杏仁　黃連　半夏
天麻　甘草　地骨皮　當歸各等分
薑三片黑豆十五粒水煎服○埜氏曰去枳實

杏仁加芷胡青黛石斛治風疳眼淚雀目肉青

髮立羸瘦尤妙

食疳

飲食脾疳肥兒劑

人門　益黃散　主食疳痞脹多癖泄食減吃泥

局方　肥兒丸　治小兒疳病者多因闕乳食與太早所致或因久患藏府胃虛蟲動日漸羸瘦腹大髮堅不能行步面黃口臭發熱面無精神此藥殺蟲進食

肉豆蔻　史君子　麥芽各五匁　黃連

神麯各十匁　檳榔二十箇　木香各二匁

醫鑑　肥兒丸劉尚書傳　消疳化積磨癖清熱伐肝補脾進食殺蟲養元氣濟世全書名參朮肥兒丸

人參三錢半　白朮三錢　白茯苓三錢
黃連三錢半薑汁炒　胡黃連五錢　史君子四錢半
神麯三錢半　麥芽三錢半　山查肉三錢半
甘艸炙三錢　蘆薈二錢半
右爲細末黃米糊爲餅米湯化下或作小丸亦可每服二三十丸量兒大小加減服之
肥兒丸萬氏　健脾胃進飲食消積滯殺疳蟲補疳癆長肌肉乃保嬰之第一方也
人參三錢　白朮五錢　橘紅五錢　白苓四錢
甘艸炙二錢　青皮三錢　縮砂仁二錢半
山藥五錢　蓮肉五錢　使君子二錢
山楂子三錢　三奇神麯五錢

共研爲極細末用生荷葉包粳米煮熟去荷葉將米杵爛以淨布扭出再煮成糊爲丸如麻仁每服二十五丸或三十五丸至五十丸陳倉米炒熟煎湯下不拘時服

氣病　肺病鼻瘡清肺看

醫林　清肺湯　治肺病咳喘擦鼻咬甲寒熱

桑白皮五錢　紫蘇　前胡

黃芩　當歸　天門冬　連翹

防風　茯苓　桔梗　生地黃

甘草各二錢半

水煎服

腎病　腎病腎氣史君子

入門

腎氣丸加史君子金鈴子　主腎疳耳焦天柱

倒齒脆手足冷如氷

疳癆

○疳癆八物七味纂

八物湯去白朮加黃芪茈胡陳皮半夏史君子

鼈甲蝦蟆灰各等分薑棗煎服　治疳癆骨蒸

五心熱盜汗咳嗽泄瀉肚硬如石

龍膽腦疳顖腫熱蘆薈春疳蝕虫般

腦疳

○龍膽丸　主腦疳顖腫髮作腫腦熱如火遍身

多汗

龍膽　升麻　苦楝根　防風

茯苓　蘆薈　青黛　黃連

油髮灰各等分

爲末猪膽汁浸糕丸麻子大每二十丸荻苛紫
蘇煎湯下

疳

○蘆薈丸　脊疳虫蝕脊膂骨如鋸齒拍背如鼓
鳴十指皆生瘡頻咬爪甲煩熱黄瘦下利者主
之消疳殺蟲和胃止瀉

胡黄連　雷丸　蘆薈　蕪荑仁
木香　青黛　鶴虱　黄連各一
蟬蛻二十箇　麝香一錢
爲末猪膽汁浸糕丸梧子大每二十丸米飲下

丁奚哺露

丁奚哺露無辜症解疳十全最可冠

無辜

醫林○十全丹　治丁奚哺露無辜疳症
陳皮　青皮　莪朮　川芎

五靈脂　白豆蔻　檳榔　蘆薈各五錢
木香　史君子　蝦蟆灰各二錢
爲末猪膽汁浸蒸餅丸麻子大每二十丸米飲
下熱者蕪荑煎湯下

諸積癖疾

諸積　乳食積輕消食散甚時萬億丸下之安和

醫鑑　消食散　治小兒腹痛多是飲食所傷治宜和

卽消食　出丹溪心法

白朮二錢半　陳皮　香附子　神麯

青皮各七分　甘艸五分　山楂　麥芽

縮砂仁各一錢

薑水煎服○有寒加藿香吳朱萸○有熱加炒

黃連

癖疾　可消癖疾肥兒丸　劇重者取之取癖丸

○取癖丸

甘遂　芫花　牽牛子　肉桂

莪朮　青皮　木香　桃仁

五靈脂各二錢

爲末入油巴豆一錢和勻飛麪糊丸麻子大每一二丸薑蜜煎湯下泄後冷粥補仍與和胃

小兒腹脹用乾雞屎一兩丁香一錢爲末蒸餅丸小豆大每米湯下十丸日三服　治幼全書

腹脹痞結

實

腹脹實人萬億丸下喘而氣短紫蘓望

醫鑒○神仙萬億丸即赤脚張三峰神仙所傳授

朱砂　巴豆去殼心膜并　寒食麪於清明前一日名寒食用白麪不拘多少好酒和麪一塊包乾麪在內蒸熟所用

右各五錢先將朱砂研細入巴豆又研極細却將寒食麪去皮取內細麪用好酒打成糕蒸入藥內仍又同研百餘下爲丸黍米大每服三五丸○內傷飲食生冷茶湯下○心痛艾醋湯下○腹痛淡薑湯下○霍亂吐瀉者自利者瘧疾作寒者咳嗽痰喘者心腹膨脹者並薑湯下

○赤痢者積聚發熱者大便閉結者煎茶清下○赤白痢疾薑茶湯下○伏暑傷熱冷水下○諸蟲作痛苦楝根皮湯下○小便不通燈心湯下○急慢驚風莢苛湯下

○分氣紫蘇飲　治氣短喘急腹脹

紫蘇丁一錢六分　大腹皮　桑白皮

甘草　桔梗　草果　茯苓

五味子各二分

薑煎入鹽少許溫服

虛　虛人腹脹無積下喘爲虛溫散六君加朴芍乾薑或五苓散併上下分消其氣

水氣　水氣乘肺大喘者危投益黃散

痞結　痞結煎芩連桔梗虛寒枳實理中丸量

○芩連桔梗湯　主脹久不通痞塞胸按之則痛時發壯熱

枳殼　桔梗各五分　半夏　黄芩

瓜樓仁　黄連各三分　生薑　麥門冬

水煎服利去黄連卽安○熱甚加大黄少許

○枳實理中丸　主虚氣痞塞胸膈留飲聚於腹脇或加脹滿手不可近○去黄芩渴加瓜樓仁瀉加牡蠣

腹痛

積　腹疼有積分輕重用萬億丸消食散兩方

寒熱　熱痛淸凉飲加青皮枳殼○黄芩芍藥湯寒疼益黄散建中湯

冷熱不調投七味

○治冷熱不調多嘔逆 出心法附錄

枳殼　桔梗　青皮　陳皮

當歸　甘艸　木香減半

右等分薑煎服

虫　虫痛安虫最可嘗

直訣○安虫散　治虫動心痛

鶴虱　苦楝根皮　檳榔

胡粉炒各三錢　枯礬二錢半

爲末每五六分痛時米飲調下○和劑方麪糊爲丸麻子大溫米飲下名化虫丸

五藏調理

肝

肝經實熱瀉青丸

形病俱實　直訣○瀉青丸　肝熱則手尋衣領及亂捻者主之○肝有風則目連劄得心熱則發搐或筋脉牽繫而直視用瀉青丸以治肝導赤散以淸心○肝熱則目赤或兼青發搐者亦用前二藥風甚則身反張强直用地黃丸以補腎瀉青丸以治肝

羌活　大黃　川芎　山梔子

艸龍膽　當歸　防風各等分

爲末蜜丸芡實大每半丸至一丸淡竹葉湯同砂糖水化下

病氣實形氣虛
怒火

亹溪吳氏曰此方瀉青瀉肝膽火也龍膽草味苦而厚故入厥陰而瀉肝少陽火實者頭角必痛故佐以川芎少陽火鬱者必生煩躁故佐以梔子肝者將軍之官風淫火熾勢不容以易治故又奪以大黃用當歸者培養乎血而不使其爲風熱所燥也復用羌活防風者二物皆升散之品此火鬱發之木鬱達之之意乃上下分消其風熱皆所以瀉之也○長澤氏曰肝有實熱故以龍膽梔子大黃苦寒瀉之肝主風木故以羌活防風辛熱踈之肝納血故以川芎當歸榮之也○埜氏曰瀉肝實加柴胡芍藥牡丹甘草尤妙○便通者去大黃

薛氏曰按瀉青丸足厥陰經解散肌邪疏通内藏之苦寒藥也若大便祕結煩渴飲冷飲食如常屬形病俱實宜用此瀉之○若大便調和煩渴飲冷屬病氣實而形氣虛宜用抑青丸平之即瀉青丸去大黃山梔○若因乳母恚怒肝火

金尅木	虛	血燥	母虛	脾虛	金尅木	子虛	血虛	木侮金

妄動致見爲患者母服加味小柴胡湯即本方加山梔牡丹是也　○肺金實熱而尅木者宜用瀉白散以瀉其實

虛熱地黃六味丸完

薛氏曰若肝經血燥而生風加味四物湯即本方加柴胡山梔牡丹皮　○腎水虛不能生肝者用地黃丸　○若脾虛不能培木者用六君子湯　○肺金尅木六君子湯加芎藭木香實脾土以平肺金　○心虛奪母氣者地黃丸　○因乳母肝脾血虛發熱致見爲患者母服加味逍遙散即本方加山梔牡丹

仲陽先生曰肝病秋見肝強勝肺而肺怯也宜阿

心肝乘　肺肝乘　脾肝乘　腎肝乘

膠散以補肺益黃散以補脾瀉青丸以治肝○易水先生曰如心乘肝爲實邪壯熱而搐有力利驚丸凉驚丸主之○肺乘肝爲賊邪氣盛呵欠微搐法當以腎氣丸補肝瀉白散瀉肺○脾乘肝爲微邪多睡身重發搐瀉青丸主之○腎乘肝虛邪憎寒呵欠而搐羌活膏主之

心

心實瀉心導赤

直訣○瀉心湯　心氣實而喜仰臥者主之

黃連

爲末每五分臨臥溫水化下

成氏曰苦入心寒勝熱黃連之苦寒以瀉心下之熱○海藏王氏曰黃連苦燥苦入心火就燥瀉心者其實瀉脾也實則瀉其子也

血虚
子虚

○導赤散　心熱則合面眠或上竄咬牙者主之
生地　木通　甘艸　竹葉
水煎服○和劑方曰治心經内虚邪熱相乘煩燥悶亂傳流下經小便赤澀淋瀝臍下滿痛○凡小兒驚搐多是熱症若首先用白附全蝎殭蠶川烏之類便成壞症只用導赤散加防風導去心經邪熱其搐隨手便止

豊溪吳氏曰心與小腸爲表裏故心熱則小腸赤熱而令便赤是方也生地黄可以涼心甘艸稍可以瀉熱佐之以木通則直走小腸膀胱矣名曰導赤者導其丙丁之赤由溺而泄也

薛氏曰心經自病而血虚者秘旨安神丸○脾虚奪母氣而熱者秘旨補脾湯即五味異功散

母虚　血燥　痰　火侮水　肺乘心　脾乘心　腎乘心

加芎歸芪○肝木不能生火而虚熱者地黄丸○肝心血燥柴朮參苓散即八物湯加柴胡山梔○脾虚食鬱生痰而驚悸不安者宜用四君子以健脾神麯麥芽以消導山梔柴胡以清熱

仲陽先生曰心藏病冬見心強勝腎甚則下竄不語當以地黄丸補腎以導赤散治心○易水先生曰肺乘心爲微邪喘而壯熱瀉白散○脾乘心爲實邪風熱相搏用瀉黄散○腎乘心爲賊邪恐怖畏寒用安神丸即朱砂安神丸○薛氏曰肝乘心頭搖目劄身熱柚搦柴胡清肝散主之

○柴胡清肝散

柴胡　黄芩　黄連　山梔子
當歸　川芎　生地　牡丹
升麻　甘艸
煎服

脾實身熱瀉黄安

直訣○瀉黄散　脾主困實則身熱引飲主之
藿香七分半　山梔一分　石膏五錢　甘艸七錢半
防風二兩
剉碎蜜酒拌炒香焙乾每一二錢水煎服○發
熱而不欲飲水者胃氣虛熱也用白朮散發熱
飲水作渴喜冷飲食者胃氣實熱也用瀉黄散
豐溪吳氏曰苦能瀉火故用山梔寒能勝熱
故用石羔香能醒脾故用藿香甘能緩脾故

用甘艸用防風者取其發越脾氣而升散其伏火故也○薛氏曰按前方若發熱作渴喜冷飲食或泄瀉色黃睡不露睛屬形病俱實宜以此疏導之

脾虛吐瀉異功用虛寒益黃與調中

直訣○五味異功散　脾虛則吐瀉生風用之

白朮　人參　白茯苓　甘艸

陳皮

薑棗煎服

薛氏曰若發熱口乾惡冷飲食或泄瀉色白睡而露睛屬形病俱虛宜用異功散調補之○楚氏曰脾喜甘故參艸以補之脾惡濕故白朮以燥之茯苓以泄之脾喜香惡滯故陳皮以醒之順之脾無病則吐瀉皆止矣

局方○加減四君子湯　調理小兒諸疾和胃養氣○常服調氣加山藥○吐瀉腹痛煩渴加黃芪編

豆藿香葛根○和氣加生薑○心神不定加辰
砂大棗○心忪心煩心神不定加茯神○驚啼
手足瘈瘲睡臥不安加全蝎鈎藤白附子○發
渴加葛根木瓜○胃冷嘔吐加丁香○嘔逆加
藿香○脾胃不和加木香砂仁○脾弱腹脹不
思飲食加稨豆粟米○傷食加神麴○胸滿加
白豆蔻○涎嗽加杏仁桑白皮半夏○風壅邪
熱加荊芥生薑○勞熱往來加川芎○盜汗加
浮小麥○小府赤澁加麥門冬○大府閉去朮
加陳皮○和氣調中加陳皮大棗○吐利過多
脾胃虛乏欲生風候加白附子○瀉加陳皮厚
朴○赤痢加赤芍當歸粟米○白痢加炮乾薑

粟米○滑泄加柯子○滑痢加罌粟殼粟米

薛氏六君子湯　治脾胃虛弱飲食少思或大便不調肢體消瘦面色痿黃之症

○補中益氣湯　治中氣不足困睡發熱元氣虛弱感冒風寒諸症或乳母勞役發致見諸病

局方○觀音散　治外感風冷內傷飲食嘔逆吐瀉不進乳食久漸羸瘦大抵脾虛則瀉胃虛則吐脾胃俱虛則吐瀉不止此藥大溫養脾胃進飲食

人參一兩　蓮肉二錢半　神麴二錢　茯苓一錢半

白芷　黃芪　木香　稨豆

甘艸各一錢

每一錢水一盞棗一枚藿香三葉煎四分溫服

○加防風天麻全蝎名全蝎觀音散

○銀白散　治小兒百病

人參　白术　茯苓　甘艸

升麻　知母　稨豆　山藥各等分

爲末每一錢○慢驚搐搦加麝香飯飲調下○
急驚定後用陳米飲調下○驚吐不止丁香湯
下○夾驚傷寒薄荷葱白湯下○疳氣肚脹氣
急多渴百合湯下○渾身壯熱面赤驚叫金銀
薄荷湯下○赤白痢疾不思乳食薑棗煎湯下
○暴瀉紫蘓木瓜湯下○諸病後無精神少氣
力不思食薑棗湯下

直訣○益黄散　面白腹痛口中氣冷不思飲食或吐

清水以此溫補

丁香二錢　陳皮　青皮　柯子各五錢

甘艸三錢

水煎服　○虞氏曰每於本方加參朮各一錢効

薑溪吳氏曰火能生土故用丁香甘能補土故用甘艸香能快脾故用陳皮澁能去滑故用訶子又用青皮者謂其快脇平肝能抑其所不勝爾又曰二香之辛熱所以溫中二皮之辛利所以快脾訶子之固澁所以止瀉○東垣先生曰藥中有丁香青皮辛熱大瀉肺金脾虛之症豈可反瀉其子爲寒水反來侮土中寒嘔吐腹痛瀉痢青白口鼻中氣冷益黃散神治之藥也如因熱藥過劑損其脾胃或因暑夫熱傷食積損其脾胃而成吐瀉口鼻中氣熱而成慢驚者不可服之

○調中丸　脾虛下利用之

白朮　人參　甘艸各五錢　乾薑四錢

爲末蜜丸菉豆大每二三十丸白湯下○埜氏曰脾虛則參朮甘艸補之下利者脾冷而滑泄故炮薑溫之夫以理中湯爲丸者湯者水也○土能堅水之義也

局方○溫脾散　治脾胃不和腹脇虛脹乳食不進困倦無力壯熱憎寒

柯子　人參各七錢半　白朮　木香

桔梗　茯苓　藿香　陳皮

黃芪各五錢　甘艸二錢半

每一錢水一盞生薑錢子大片棗一枚煎五分溫服

薛氏曰脾氣下陷者補中益氣湯升補之○肝

木尅土者六君柴胡平補之○目睛微動潮熱抽搦吐瀉不食秘旨保脾湯○病後津液不足口乾作渴用七味白朮散

易水先生曰肝乘脾則風泄而嘔茯苓半夏湯主之即苓半朮麯陳皮天麻大麥也○心乘脾則壯熱體重而瀉羌活黃芩蒼朮甘艸湯主之○肺乘脾則能食不大便而嘔嗽檳榔大黃煎湯下葶藶丸○腎乘脾惡寒而泄理中丸主之

薛氏曰面青搐搦乳食少思肝乘脾也用秘旨補脾湯○面赤驚悸身熱昏睡心乘脾也用秘旨安神丸○面白喘嗽肢體倦怠肺乘脾也用補中益氣湯○唇黑泄瀉手足指冷腎乘脾也

用益黄散

肺

肺實瀉白單甘桔

直訣○瀉白散　肺盛復感風寒則胸滿氣急喘嗽上氣先用瀉白散以淸肺氣後用大靑膏以散風寒○咳而後喘面腫者肺火盛也用此瀉之

桑白皮　地骨皮各二錢　甘艸一錢

入粳米二十粒水煎溫服

薑溪吳氏曰肺苦氣上逆故喘滿上焦有火故氣急此丹溪所謂氣有餘便是火也桑白皮味甘而辛甘能固元氣之不足辛能瀉肺氣之有餘佐以地骨之瀉腎者實則瀉其子也佐以甘艸之健脾者虛則補其母也此云虛實者正氣虛而邪氣實也又曰地骨皮之輕可使入肺生甘艸之平可使瀉氣故名以瀉白曰肺之色也○蓬溪李氏曰桑皮骨皮皆能瀉火從小便去甘艸瀉火而緩中粳米淸肺而養血此乃瀉肺諸方之準繩也羅氏

言其瀉肺中伏火而補正氣瀉邪所以補正也若肺虛而小便利者不宜用之○中山氏曰桑白皮甘辛寒瀉肺中水氣地骨皮苦辛寒瀉肺中伏火水氣痰飲也瀉之則肺清伏火鬱熱也瀉之則肺安甘艸所以和逆氣也

○甘桔湯　肺熱則手搖肩自鼻向者主之○有熱症面赤飲水咽喉不利者主之○嗽而略膿血者主之

甘艸二錢　桔梗一錢

爲末每二錢入阿膠半片水煎服

埜氏曰甘桔湯甘艸之甘緩熱阿膠之甘潤血熱則血燥故也桔梗之苦瀉熱乃瀉藥中之良劑也

薛氏○袐旨清肺散　前症若腠理不密外邪所感而肺病者用之

陳皮　半夏　茯苓　甘艸
川芎　桑白皮　桔梗　防風
菝苛　黄芩　白朮
○瀉黄散　脾胃氣實大腸不利而肺病者用之
○加味清胃散　因乳母膏粱醇酒積熱致兒爲患用之

肺虚阿膠散可功

直訣○阿膠散　肺藏怯則脣白以此補之○嗽久肺亡津液者肺虚也用阿膠散補之　方見喘嗽

豊溪呉氏曰燥者潤之今肺虚自燥故潤以阿膠杏仁金鬱則泄之今肺中鬱火故泄以兜鈴粘子土者金之母虚則補其母故入甘艸糯米以補脾益胃

補中益氣湯　土虚不能生肺主之

八參平胃散　火來尅金主之　方見喘嗽

○地黄丸　腎水奪母氣或陰火上炎主之

○瀉青丸　肺虚肝木乘侮先用阿膠散後用瀉青丸

○地黄丸　心火炎爍肺金而肺病者用之

○四君子湯　肺金自虚者主之

仲陽先生曰肺病春見肺勝肝也以瀉白散治肺若目淡青或目赤者當發搐爲肝怯也以地黄丸補肝○易水先生曰肺病喘嗽氣盛見於寅卯辰時當補肝瀉肺○心乘肺爲賊邪熱而喘嗽用腎氣丸導赤散阿膠散○肝乘肺爲微邪惡風眩冒昏憒羌活散羌活前胡麻黄茯苓川芎黄芩甘艸

蔓荊子枳殻細辛石羔菊花防風煎服○腎乗肺爲實邪惛寒咳嗽淸利百部丸麻黄百部杏仁○脾乘肺爲虛邪體重痰嗽泄瀉人參白朮散即七味白朮散也

腎

腎虛六味地黄主此是醫方最妙土

○六味地黄丸

仲陽先生曰腎主虛若胎禀虛怯神氣不足目無睛光面白顱解此皆難育雖育不壽或更加色慾變症百出愈難救療或畏明下竄者蓋骨重而身縮也咬牙者腎水虛而不能制心火也皆用地黄丸

薛氏曰潔古云下竄者腎氣不足兩足發熱故不喜衣覆也蓋臍以下皆腎之所主繼心

氣下行於腎部也所以宜用地
黄丸壯水制火而補腎也

仲陽先生曰腎病夏見水勝火腎乘心也甚則動
悸發搐宜風散主之○易水先生曰心乘腎者爲
微邪發熱不惡風寒用桂枝丸○肺乘腎者爲虛
邪喘嗽皮膚寒濇用百部丸○肝乘腎者爲實邪
拘急發搐身寒用理中丸○脾乘腎者爲賊邪體
重泄瀉惡寒用理中丸

兒体気素壯實者　用加味升麻葛根湯　葛一錢　周八分　赤芍
粉桔芸各三分　蘇葉五分　芎四分　査肉八分　力五分　炒香　姜三片
体気素虛弱者　加味參蘇飲　參三分　蘇五分　芎　桔　前各四分　陳
粉各三分　茯五分　葛八分　守三分　力四分　査肉六分　姜三片
和解湯　解表和中　周　葛　桔各一錢　白芍　夏　參　芸七分　芎八分　粉五分

卷之下　五

面燥腮及目胞赤喉嗽噦噴肺熱証也呵欠煩悶旨肝之熱症也其候乍涼乍熱足冷

卷之十六

痘瘡

預解痘毒十二月取兎頭煎湯浴小兒凉收去毒令出痘稀　飲善正要方

初熱三朝治例

外感

初熱來時兼外感肝症見者人參羌活散心症惺惺散或消毒飲升麻葛根湯見脾症或如聖湯虛者惺惺散○丹溪先生曰凡癍豆已見紅點不可用葛根升麻湯恐表虛反增斑爛也肺症參蘇飲加葱白寧通用冲和湯看汗有無加減半表半裏小柴胡加生地靈入裡涼膈散通聖散下之輕者四聖散合六乙散停

內傷

飲食生冷傷內者嘔吐利瀉熱寒形寒時正氣散理中湯劑或胃愛散暑月六和湯二陳湯及胃苓湯有積俱加山楂麥芽

挾驚

加減紅綿散挾驚氣

發熱

神 咳

柴前羌
独防荊
薄壳桔
芎天骨

神功散治痘出毒氣太盛血紅不分地界如蚊蚤種或諸失血或吐瀉七日以前諸症可服解毒

黃芪 人參

衂犀角地黃湯合小柴胡湯銘

消毒飲加芩連或桑白皮或草龍膽鈎藤防入眼硃砂護眼亦叮嚀

○古方用如米細硃砂爲末蜜調少許每五分作三次量兒大小加減溫水下不拘痘瘡出未首尾可服密者可稀稀者可無黑陷者可起痘瘡掀腫可消兼治壯熱煩渴微喘但性亦微寒不可多服

○護眼膏　醫學綱目錢氏方也

黃蘗一兩　紅花二兩　菉豆一兩半　甘艸四兩

爲末痘瘡正發之時用淸油調塗兩眼四畔則面上痘亦稀少或用硃砂爲末水調塗眼眶或

只用乾胭脂末蜜調塗眼眶則痘不入眼

氏曰護眼膏加黑豆粉靑靛而梨汁調塗尤良

熱未徹

報痘三朝治例

報痘三朝熱未徹者必感傷邪未盡淨此熱毒內薰恐後滯爲瘡毒宜半清表半溫裡之劑調之可投解毒防風方或十神解毒湯紫艸木香湯

○解毒防風湯　治痘七日後壯熱毒盛氣弱痘出不快及痘出而聲又啞醫學綱目易水先生方也

防風五分　地骨皮　黃芪　枳殼

芍藥　荊芥　牛房子各二分半

水煎溫服

準繩

○十神解毒湯　專治身發壯熱腮紅臉赤毛焦色枯已出未出三日以前痘點煩紅燥渴欲飲

人参
當歸　川芎
防風　桔梗
厚朴　白芷
甘草　木香
官桂
右水煎

睡臥不安小便赤澁者此熱盛故也
當歸　生地黄　紅花　牡丹皮
赤芍　桔梗　木通　腹皮
連翹　川芎
燈心水煎服此方得安表和中解毒三法盡善誠痘科之神方也丹溪云熱者清之實者平之其此方之謂歟○毒盛綿密加荊芥牛房○渴加天花粉竹葉滑石○小便尿血加犀角梔子○吐血乾嘔加犀角黄連○發紅斑加犀芩檗梔玄參○小便澁加楮苓澤瀉○小便祕加滑石瞿麥○大便祕加枳實前胡○煩躁加麥門冬天花粉○煩渴狂亂譫語加知母石膏麥門

預解痘毒　每至除夜以白鴿煮炙飼兒仍以毛羽湯浴之則出痘希少也

冬○嘔吐加猪苓澤瀉黃連○咽喉痛加甘艸牛蒡子荊芥○泄瀉加澤瀉防風○嘔加陳皮○大便秘喘加枳殼前胡大黃

出逆處

心胸天庭逆處出消毒飲中加黃芩紫艸山查望虛加人參或升麻葛根湯加連翹一分或敗毒散犀角地黃湯

頂陷色枯

頂陷色枯保元妙

本艸○保元湯　魏氏方　險症者將長光澤頂陷不起也旣出雖起慘色不明也漿行色灰不榮也漿定光潤不消也漿老溼潤不斂也結痂而胃弱內虛也痂落而口渴不食也痂後生癰腫也癰腫潰而歛遲也並宜此湯或加芎或加桂加糯米以助之

人參二錢　黃芪三錢　甘艸一錢
薑一片水煎服

論曰此方原出東垣治慢驚土衰火旺之法今借而治痘以其內固營血外護衛氣滋助陰陽作為膿水其症雖異其理則同去白芍藥加生薑改名保元湯

龔氏醫鑒曰活血加當歸五分芍藥一錢匀氣加陳皮五分解毒加玄參牛房子各七分○頂陷加芎桂○色不光澤加芍桂糯米○色昏紅紫加木香當歸○不能成漿加桂糯○漿足溼潤不斂加术苓○發渴加麥門冬五味子○頭額不起脹加芎六分為引○面部不起脹加桔梗四分為引○腰膝不起脹加牛膝四分為引○兩手不起脹加桂枝二分為引○徐氏醫統

曰血虛而燥大便閉澁加芎歸痘灰白陷頂者有寒加桂湯煩而躁加麥門冬泄瀉加朮苓小便不利加車前子或合五苓散熱甚者加黃芩

出多

出多身熱解毒防風湯○或消毒飲鼠粘湯

○鼠粘湯東垣先生方治痘出稠密身熱不退宜急服此藥以防青乾黑陷

牛房子　當歸　甘艸　地骨皮

黃芩　茈胡　黃芪　連翹

各等分水煎溫服熱退即止

出多便黑腹脹見血犀角地黃湯毒盛譫狂猪尾膏康

出遲

出遲榮衛虛八物湯中氣下陷補中益氣湯保元湯脾冷理中湯丸木香散甚者薑附湯外盛裡虛紫艸木香湯或

解毒防風湯

醫統○補中益氣湯　治痘疹發熱難出或脾胃虛陷及陷附倒靨此能補中益氣可以爲痘疹之內托十分穩當寒熱得中而無太過不及之弊內有參芪以補元氣有當歸以生血有朮陳以健脾有升柴以發表托裡不致內陷○寒加肉桂乾薑熱加芩連血不行者加紫艸渴加麥門冬

法附○紫艸木香湯　治瘡出不快及大便自利

紫艸　木香　茯苓　白朮各一錢

甘艸少許

入糯米煎服楊氏云紫艸能利大便白朮木香佐之○李氏入門有人參或隱或見加藿香

氣實痰停、疎氣飲合二陳湯神驚啼叫、溫驚良或勻氣散

○疎氣飲　治氣實痰鬱發不出者

蒼朮　白芷　防風　升麻

黃芩　芎藭　連翹　當歸各等分

甘艸節減半

水煎服

外邪因風寒羈絆胃氣不能出五積散正氣散或參蘇飲發之暑氣

煩渴昏冒辰砂五苓散用生地麥門煎湯下之○湯甚便實者竹葉石膏湯攘之身

熱甚者小柴加生地紫艸木通湯消毒飲剃外邪入裡二使

妨甚者宜風散大黃煎湯下

○紫艸木通湯　治痘出不快醫學綱目海藏王氏方也

紫艸　木通　人參　白茯苓

糯米各四分 甘艸二分
水煎溫服如大便利者去紫艸加木香
○消毒飲 依本方加大黃山梔

出不匀遍

出而不遍無潤色紫艸神功早可嘗
○紫艸飲 治痘欲出未出或痘一熱出齊服此
重變輕惟便利者忌服
紫艸一兩用百沸湯一碗沃之以物蓋定勿
令泄氣候溫量兒大小服之雖出亦輕或加陳
皮葱白尤妙如發斑疹加鈎藤調服
蓬溪李氏曰紫艸味甘鹹而氣寒入心包絡
及肝經血分其功長於涼血活血利大小腸
故痘疹欲出未出血熱毒盛大便閉濇者宜
用之已出而紫黑便閉者亦可用若已出而
紅活及白陷大便利者切宜忌之故楊氏直
指云紫艸治痘能導大便使發出亦輕得本

已出復入

香白朮佐之尤爲有益又曾世榮活幼新書云紫艸性寒小兒脾氣實者猶可用脾氣虛者反能作瀉云云

回春○神功散　治痘出毒氣太盛血紅一片不分地界如蚊蚤種或諸失血或吐瀉七日以前諸症可服解毒

黃芪　人參　芍藥　紫艸
生地黃　紅花　牛房子各等分
前胡　甘艸減半

水煎不拘時服○熱甚加芩連未退者再加大黃研入○有驚者加蟬退一箇○若頭粒淡黑者有寒乘之加桂一錢

已出被風而復入加味四聖散快透散去通加穿山甲詳

風寒表症者可發之惺惺散用熱毒透肌散乃可量

入門〇加味四聖散　治痘出不快及變陷倒靨小便赤澁餘熱不除一切惡候或痘出被風吹復不見入皮膚內鬱熱不散

紫草　木通　木香　黃芪

川芎　甘草　人參各等分　蟬退減半

每二錢水煎服如便閉加枳殼便調加糯米能解毒發痘也

本艸〇紫背荷葉散　聞人規方又名南金散治風寒外襲倒靨勢危者萬無一失

霜後荷葉炙乾　白薑蠶

等分爲末每半錢溫酒調下論曰痘瘡已出復

爲風寒外襲則竅閉血凝其點不長或變黑色此爲倒靨必身痛四支微厥但溫肌散邪則熱氣復行而斑自出也宜紫背荷葉散治之蓋荷葉能升發陽氣散瘀血留好血殭蠶能解結滯之氣故也

醫林 快透散 治痘出不快 李氏入門名透肌散

紫草　蟬退　人參　木通

白芍藥　甘草

各等分水煎服

壯年 壯年皮厚透肌散勞役汗多補中益氣湯去升柴自始至終服之

孕婦 宜安胎飲加芩朮孕婦表裡虛實治法同例但禁忌藥味宜詳知

淡白 淡白頂軟氣虛弱爲投內托十宣散商依本方去防風白芷

自汗倍芪聲不出倍桔梗淡紅摸過即轉白氣血虛衰十全太補湯資或但淡紅不轉白者血虛小活血飲

紫疱 紫疱白疱氣血熱人參化斑湯乃堪治

起脹三朝治例

陷伏 起脹陷伏色乾涸內托十宣散最可良

賊痘 賊痘軟大衰氣血保元湯內加紫艸望

紫陷 黑陷 紫陷十宣散去桂加紫艸紅花●熱盛加黃芩黑陷獨聖散最堪量中陷黑白氣虛弱保元湯加芎歸木香兎血丸與冰楊湯

○獨聖散

穿山甲

取前定及嚮上者炒爲末每五分木香煎湯少
入酒調下或入麝少許尤妙如七日後黑陷紫
艸煎湯下紫陷溫酒下血陷灰陷俱酒入麝香
下白陷當歸煎酒下

豊溪吳氏曰黑陷危證也黑者穢惡觸之而
變其色也陷者正氣下陷不能起脹也川山
甲麝香膻腥穢惡之屬也何以用之蓋痘之
爲物外觸穢惡則向裡而陷内觸穢惡則向
外而凸原其血氣虛怯故
令如此人牙散亦是此意

本艸○水楊湯　凡報痘起脹行漿貫滿痘瘡頂陷漿
滯不行或爲風寒久尅者皆効　魏氏心鑒方
楊柳五斤春冬用枝秋夏用葉洗淨搗碎取
長流水一大釜煎六七沸去查將三分之一注
盆中宜先服湯藥然後乘熱洗浴久許乃以油

紙撚點燈照之累累然有起勢脂處有圓暈紅絲此漿必滿足如不滿又如前浴法弱者只浴頭面手足勿浴背如屢浴不起者氣血敗矣不可再浴初出及痒塌者皆不可浴痘不行漿乃氣澁血滯腠理固密或風寒外阻而然浴令暖氣透達和暢鬱蒸氣血通徹無隨暖氣而發行漿貫滿功非淺也若内服助氣血藥藉此升之其効更速風寒亦不得而阻之矣

貫膿三朝治例

漿色淡

行漿色淡虚氣血血虚四物湯去芐加紅花少許氣虚保元湯加桂糯

準繩回漿散　治痘不收漿結痂

乾燥

何首烏　芍藥　黄芪　人參

苷艸　白朮　白茯苓　生薑

○象牙散　治同上

即前方去芍藥加糯米大棗調象牙末一錢

服

皮破流膿去溼劑

○用白螺殼煆末乾摻或用苦參滑石蚌粉白芷

輕粉等分爲末乾摻瘡口

未皮破只水漬者宜溫中藥內加白芷防風吞水痘干宜散

倍芪歸或保元湯加山查白朮用

乾燥無膿血枯朽活血論

○活血散

赤芍　歸尾　紅花　茈艸各五錢

木香二錢　血竭一錢

爲末每二錢痘色淡白酒調下熱極血焦不紅

活紫艸煎酒下

豊溪吳氏曰氣貴利而不貴滯血貴活而不貴凝木香川芎調其氣滯芎藥歸尾紫艸紅花血竭理其血凝

○小活血散

單白芍藥炒爲末每一錢出快溫酒下痘痛

溫水下倒靨紫艸煎湯入酒少許調服大能

活血止痛除煩如兩腳踡攣加甘艸即芍藥

甘艸湯也

化漿不滿乃氣血因寒少綏也保元湯加薑桂糯米可與滿而不陷

痂難脱

脚根色紫

十宣散去防芷倍参芪酒存

收靨三朝治例

當靨不靨間有黑保元湯加苓术尤良方毒氣散慢

宣風散加犀角汁解之觸穢冒寒異攻散調四屎散望飲過不

靨六乙散劑太便祕者清涼飲凉傷冷瘡陷異攻

散主傷熱瘡爛小柴胡湯良

將靨熱脚根色紫者升麻葛根湯犀角地黄湯加酒炒苓連

連翹之類以解熱毒

痂難落而色紅紫連翹飲内加減當

○連翹散　治痘發熱不厭醫學綱目活人書方也

連翹　防風　山梔　甘艸

各等分水煎服○身上痂不落加地骨皮頭面

痂不落加白芷

準繩回天甘露飲　治熱毒不解或未經解毒到當靨發熱蒸蒸者

砂糖半酒盃百沸湯調一大碗溫服立時熱退痘靨萬發萬中直有回天之力也

雜症治例

渴

口渴有火用瓜蔞甘艸水煎服內虛津乏保元湯宜加麥門五味子飲多溺少後難靨宜投六乙散先滲之虛陽偏盛好飲冷木香散內下官桂依陰寒偏盛好飲熱異攻散方加木香當歸

煩躁

報痘煩躁表未解黃芩芍藥湯清解之方起脹時躁毒未散犀角磨汁苷豆湯或抱龍丸貫膿時躁宜

溺或大便不通者潤之結痂後躁餘毒可攘去煩躁不眠主
溫胆湯胸鬲緊滿桔梗湯良

腹痛
腹痛初熱因痘毒外感藿香正氣散升麻葛根湯及參蘇
飲內傷生冷理中湯劑加陳皮砂仁木香痘出便祕獨聖
散需或四磨湯

腹脹
腹脹初起尚可表升麻葛根湯加山楂牛蒡子內
虛胃弱忌發表二便難者四聖方
○四聖散　治痘出不快及倒靨陷伏惡候毒氣
入內腹脹溺赤醫學綱目錢氏方也
木通　芘艸各一錢　枳殼　甘艸各五分
水煎溫服如氣弱去枳殼加黃芪
痘已出成虛脹者冷症萊服紫蘇陳皮乾薑甘艸水煎服令

熾加白朮甚者木香異攻劑毒氣陷伏活血散良

失血

口鼻失血肺胃熱甚解毒湯加大黃輕黃芩湯便血
糞黑犀角地黃湯膿血三黃熟艾湯量便血神昏抱
龍姒因涼藥毒陷理中湯胃風湯方痘後便血身熱者
升麻葛根加生地黃黃連堅熱渴解毒湯小承氣湯下
利騂車丸可良

便祕

便祕裡實痘未出升麻葛根湯消毒飲俱加大黃已出
熱毒裡實者小柴加生地與清涼飲尋常輕而無
裡實未出紫艸木通湯已出四物爲主劑加入芩連
桃仁麻仁堅冷祕面青有不食內托十宜加减良

溺澁

小便赤澀痘未出紫艸飲劑發毒良已出四聖散
加芪劑此只解毒不滲方二便俱祕不敢下五苓

狂

散導赤散連翹散量

痘出狂叫肝熱甚犀角地黄湯可收陰

未出發驚惺惺散消毒飲加減紅綿臨

○加減紅綿散　治痘感風寒發熱驚搐等症

天麻　麻黄　全蝎　荊芥

蟬退　紫艸　薄荷

各等分葱煎溫服

薑溪吳氏曰風熱驚搐者以此藥調抱龍丸痘之出也自內達外心熱則驚肝熱則搐所以搐者風也所以驚者熱也是方也麻荊荷天蟬蝎所以消風解熱及紫艸者所以解毒發痘而活血也

暑搐昏冒六乙散妙痰盛神昏抱龍丸毒已出虛

者保元芎藥湯熱者瀉青丸化毒丹甚驟中驚搐導

痛

不散毒甚攻心以致黑陷者从權以涼驚丸任

遍身作痛毒外行初熱參蘓飲消毒飲清之升麻葛根湯倍芍藥甚者更加蟬退羌活山查已出活血散匀氣散平

○匀氣散　治氣滯痘出不快及肉腠厚密身痛

即八味順氣散加木香爲末酒調服

痒

實痒風寒消毒飲食毒四君加芩連或大黃虛痒保元倍芪加芍內托散去桂倍芪加白芷當歸木香毒陷痒塌木香散先加丁香肉桂

吐瀉

吐瀉初起因外感寒月理中湯異攻散可投重者五積散暑月六和湯胃苓湯用脾胃冷者胃愛求

○胃愛散　治痘出嘔吐泄瀉煩渴胃中虛冷

糯米二兩　丁香十六箇　木瓜三分　藿香
紫蘇　甘草各一分
爲末每一分或五分粟棗煎湯下
内傷四君加陳皮縮砂仁宿食重者萬億丸摟
熱瀉五苓散或竹葉石膏湯等痰壅吐食二陳湯收
痘出泄瀉虚冷必保元湯加桂芍木香謀
因泄頂陷十宜散四聖散中加減尤

自汗

自汗初起有溼熱朮連浮麥煎服宜痘出汗多必
難靨急用保元湯止之

寒戰咬牙

寒戰咬牙氣血弱保元加桂或異攻散奇

變症治例

熱藥誤用致陽盛黃連解毒湯犀角地黃湯

暑月痘爛生蛆者清熱藥內服外浴水楊湯

變黑

初出黑色如蚊咬加味四聖散能攘

表熱如炭焦黑陷透肌散中紅花地骨皮可加量

青乾紫黑身微熱便祕急下宣風方後用四君子湯加厚朴木香陳米調理

○宣風散錢氏治驚方治痘青乾黑陷身不大熱煩渴腹脹而喘二便赤澀面赤悶亂大吐

檳榔子　陳橘皮　甘草各五錢　牽牛子四兩

爲末幼者五分壯者一錢食前蜜湯調服

蓬溪李氏曰潔古老人治變黑歸腎症用宣風散代百祥膏亦是瀉子之意蓋毒勝火熾則水益涸風挾火勢則土受虧故津血內竭不能化膿而成青黑乾陷之症瀉其風火之毒所以救腎扶脾也或云脾虛腎旺故瀉腎扶脾者非也腎之真水不可瀉瀉其陷伏之

邪毒
爾

入裡神昏黑陷伏猪尾膏方盛火凉

○猪尾膏　治痘出未透心煩狂燥氣喘妄語便閉能食或已發毒盛陷伏者宜此速治惟虛寒者忌用

龍腦　一錢

爲末旋滴小活猪尾血爲丸小豆大每一丸煩燥紫艸煎湯下陷伏温酒下或用猪心血爲丸亦可

埜氏曰此方乃從治之法假其辛熱透徹之性發其鬱火者也若誤作寒劑用之誤矣

黑陷便祕溼熱重急下救然用百祥

直訣　○百祥丸　痘紫黑乾或寒戰咬牙或身黄紫腫

治痘瘡倒靨
紫背荷葉散
又名南金散治風寒外襲倒靨黑陷
其危者萬無一失
用霜後荷葉貼水紫背者炙乾
白殭蠶直者炒去絲
等分爲末每服半錢用胡荽湯或
溫酒調下
出本草綱目附方
又方白丁香末入麝香少許米飲服一錢
保嬰大全

煮急下之

紅芽大戟一兩

用漿水煮極軟去骨曬乾復入原汁內煮汁盡焙乾爲末蒸餅丸粟米大每二十丸研赤脂麻湯下量兒大小服之

薛氏曰案前方治痘瘡黑陷耳尻冷呟牙吐瀉者乃脾土虛敗寒水反侮歸腎之惡候也用此丸瀉之急以四君加丁香陳皮木香厚朴炮乾薑以溫補脾土身熱飲水黑陷復起十救一二益此症因脾土虛敗寒水乘侮陳文秀先生云恭治寒水於既侮之後何不保脾土於未敗之先此發前人之未發況前藥必耗脾胃之氣進及於腎而纔瀉之吾恐胃氣先傷而莫能及然非錢公之明見不敢投非古昔之元氣不敢用治者愼焉○蓬溪李氏曰錢氏治痘瘡變黑歸腎一症用百祥膏下之以瀉腎非瀉腎也瀉其腑則藏自不實愚案百祥惟用大戟一味大戟能行水故曰瀉其腑則藏自不實腑者旁光也竊謂百祥

非獨瀉府正實則瀉其子也腎邪實而瀉其肝也大戟味苦濇浸水色青綠肝膽之藥也故百祥膏又治嗽而吐青綠水夫青綠者少陽風木之色也仲景亦云心下痞滿引脇下痛乾嘔短氣者十棗湯主之其中亦有大戟夫乾嘔脇痛非肝膽之病乎則百祥之瀉肝膽也明矣肝乃東方宜瀉不宜補況瀉青瀉黄皆瀉其子同一瀉也何獨腎只瀉府乎◯楊氏心法附錄曰百祥丸大峻當以宣風散代之瀉後溫脾用四君加厚朴木香爲妙

藏燥痰盛驚狂發四齒散加蟬退或牛蠶散殭

◯四齒散　治痘不紅不起發色灰白或黑陷而焦取効如神 古今醫統名無價散

人齒　猫齒　狗齒　猪齒 各二錢半

砂鍋固濟火煅通紅候冷爲末每五分熱酒調服

◯古牛蠶散　治痘早微熱晩大熱目黄脇動身

熱手冷發甚如驚惟虛寒者忌用

牛蒡子五錢　白殭蠶二錢半

入紫艸三莖煎服

遂成黑陷犀角地黃湯　抱龍丸方降痰良

裡虛黑陷主八物湯去除芐芍加木香

虛寒黑陷陳氏剤天溫時月十宣散詳

○陳氏異功散　治痘出欲靨未靨之間頭溫足冷腹脹瀉渴急服此藥能除風寒溼痺調和陰陽滋養氣血使痘易出易靨不致痒塌切忌食蜜

木香　肉桂　當歸　茯苓

白朮　人參　陳皮　厚朴

半夏　丁香　肉荳蔻　附子
薑棗水煎服○龔氏回春加方芪柯子去肉木
陳○薛氏曰按前方若痘瘡不光澤不起發不
紅活不結靨謂之表裡俱虛宜用此藥治之若
悶亂煩渴吐瀉不食腹痛腹脹痰喘氣急謂之
表裡虛寒急用此藥送豆蔻丸或十日至十一
日當靨不靨煩渴咬牙手足並冷飲沸湯而不
知熱此陽虛脫陷急用此湯救之亦有復生者

丹溪先生曰陳氏方大率歸重於太陰一經
蓋以手太陰屬肺主皮毛也足太陰屬脾主
肌肉肺金惡寒而易於感脾胃土惡溼而無
物不受觀其用丁香官桂所以治肺之寒也
用附朮半夏所以治脾之溼也使其肺果有
寒脾果有溼而兼有虛也量而與之中病則
止何傷之有今也不然徒見其瘡之出遲者
身熱者泄瀉者驚悸者氣急者渴思飲者不

問寒熱虛實率投木香散異功散若悞投禍
不旋踵○薑溪吳氏曰參朮苓歸所以補胃
桂附丁豆所以溫胃半木陳朴所以調胃胃
陽明也陳氏云陽明主肌肉胃氣充足則肌
肉溫煖自然光澤起
脹而無痒塌之患也

○陳氏木香散　治發痘疹身熱作渴

木香　大腹皮　桂心　人參
柯子　茯苓　車前子　半夏
甘艸　青皮　丁香各三分

薑水煎溫服如不甚虛寒者二方去桂附丁香
○龔氏回春去腹半甘青加芪朮朴陳○薛氏
曰案若痘瘡已出未出之間其瘡不光澤不起
發不紅活五七日內泄瀉作渴或肚腹作脹氣
促作喘或身雖熱而腹脹足指冷或身熱作渴

或驚悸腹脹或汗出不止或寒戰咬牙瘡不結痂此皆脾胃虛寒津液衰少急用此藥治之若誤認爲實熱用寒涼之藥及飲蜜水生冷瓜果之類必不治

薑溪吳氏曰胃虛而寒則生泄瀉瀉失津液則令人渴是方也參朮補胃木香桂温胃青半腹前苓調胃及訶子者所以止瀉而生津也此亦以胃氣爲主蓋胃不虛寒則瀉自止津液自生而渴自除矣

帶紫血熱主四物湯芩連紅花加入常帶白氣虛保元湯主去艸加入紫艸康變黑烏羽猶可救紫艸飲內小活血加飲望

斑爛

斑爛便閉牛黄丹主作痛敗艸散臥麥麩

○牛黄丹　治痘出大便不通瘡中膿水不乾

牛黄一錢 大黄 寒水石 升麻各五錢

粉霜 辰砂各五分

爲末蜜丸黍米大每十丸量兒加減人參或紫艸菝苛煎湯下

○敗艸散 用蓋屋及牆背上遠年腐艸洗淨焙或晒乾爲末帛包撲之甚者鋪牀席令兒卧之甚妙此艸經霜露久善解瘡毒

○甚者麥麩襯臥暑月熱盛當藉之以芭蕉葉

過汗內虛保元湯加白芷防風穢汚避穢丹可需

○避穢丹

蒼朮 細辛 甘松 川芎

乳香 降眞香

各等分為末烈火焚之

壞症治例

身腫　身面皆腫搐風身強直人參羌活散可投

咬牙　咬牙身熱作渴甘露飲寒戰咬牙十宣散加去芷防茯苓救之尤

聲啞　聲啞身溫解毒防風湯身涼十宣散桔梗優

腰痛　腰痛如咬雖絕風寒可解敗毒散求

瘥後症治例

再發　瘥後再發保元主解毒藥味加上良

餘毒　餘毒仍當分虛實虛者雙和散保元湯吐瀉虛渴補脾胃參苓白术散異攻散或胃愛散虛熱口渴不食者四君子湯加陳皮山楂黃連吐瀉理中湯或益黃散久不止者身熱自汗者補中益氣湯主之堅實症熱

瀉便祕者大黃散方或三黃丸

○大黃散　治瘡疹及斑瘡大便不通

大黃　川芎各一兩　甘草　黃芩

枳梗各五錢

每一錢入紫草少許水煎溫服

溺少五苓散　止煩渴身熱不退者小柴胡湯竹葉石膏湯

涼齒疼牙痛甘露飲　口牙出血化毒丹　方咽疼甘桔湯加牛蒡麥門竹葉　入怒叫不眠柴胡清肝湯　當下血拔三黃熟艾湯　心痛乳沒歸芎水煎服量丸

中風

中風消風散二錢入蟬退末一錢入生薑菝荷汁及酒少許服　與續命湯去桂附加荊芥亦可　搐導赤散　抱龍丸便閉發搐主萬億丸

風寒咳嗽參蘇飲安

痘瘡入目：用兔屎日乾為末每服一錢茶下即安　普濟方

眼

入眼丹溪熱眼劑熱翳速用地黃方風腫翳膜投蟬殼處熟地黃丸羚虎丸嘗

○丹溪方　治熱眼

防風　黃連　連翹　升麻

桔梗　梔子　草決明　赤芍藥

當歸

作小劑煎服

○地黃散　治痘瘡入眼心肝壅熱目赤腫痛或生赤脉或白膜遮睛四邊散漫者易治若暴遮黑睛多致失明宜速用此大人亦宜

生地黃　熟地黃　當歸各二錢半　防風

羌活　犀角　蟬退　木賊

穀精艸　蒺藜子　大黃各一錢　玄參五分
木通　甘艸各一錢半
一方有黃連爲末每五分量兒大小用羊肝煮
汁調服忌口將息
蟬殼散　治風腫翳膜者
蟬退　地骨皮　牡丹皮　黃連
白朮　菊花　蒼朮各一兩　艸龍膽五錢
甜瓜子半錢
爲末每一錢半荊芥煎湯調下食後臨卧各一
服兼治時疾後餘毒上攻眼目甚效
羚虎丸　治肝腎俱虛者
羚羊角　虎脛骨　生地黃　酸棗仁各五錢

内托 防風 當歸 黃芪 各五分

爲末[illegible]丸皂子大每一丸溫水化下

痘瘄消毒飲爲主隨經加減上下詳

痘瘄

局方 ○消毒散 治小兒瘡疹已出未能匀遍及毒氣壅遏雖出不快壯熱狂躁咽膈壅塞睡臥不安大便祕澀及治大人小兒上膈壅熱咽喉腫痛胸膈不利

荊芥一兩 炙甘草二兩 牛房子六兩

每一錢水一盞煎七分食後溫服若瘡疹大便利者不宜服之○虞氏正傳有防風加生犀角尤妙○李氏入門有防風升麻加上犀芩名犀角消毒飲○虛熱加地骨皮壯熱加黃芩紫草

實者加生犀磨汁出不快及痒加蟬退有汗加防風減食加人參山查便祕加大黃氣虛加參术血虛加芎歸百般加減由人

毒甚宜五福化毒丹熱盛腫痛敗毒散良

類症治例

水痘類症水痘小麥湯煩熱溺澁八正散方

○小麥湯

滑石 甘草 地骨皮各一分

人參 麻黃 大黃 知母

羌活 葶藶子各二分 小麥七粒

术煎服

鬪熱發以敗毒散發之熱盛透肌散加紅花黃芩升麻○咽痛加

犀角玄參解毒湯加芎歸芍藥防風望

補遺方

○三黃熟艾湯　治痘瘡正發似收未收下利黃臭膿血身熱大渴宜此湯以解其毒

黃芩　黃連　黃蘗　艾葉

各等分水煎服或加糯米紫艸甘艸亦好

○三豆飲子　治天行豆瘡但覺有此症預服則不發

赤小豆　黑豆　菉豆各一斤　甘艸半兩

水煮熟逐日空心任性食豆飲汁七日痘自不發○龔氏濟世曰此能活血解毒則不染

徐氏曰痘瘡蘊非常之熱蓄發肌膚爲痘疹順其熱則出而毒散但過於熱則又損曰振之以凉則爲陷伏黑靨故善治者使陽不致亢盛陰不致潛伏調適中和而已

諸雜証總要

頭疼止有頭疼輕。目閉初起不治八九日無妨也十三四日凶也。咳嗽無妨。氣急初熱者凶八九日無妨也声啞初起者不治七八日可治或哭泣声啞色錫如者生如暗者死痂落後凶也兼喘急者痂終不治如傷風声啞者不治。喉痛初起者莫治八九日者可治痂後凶也乱語初起者重痂落後凶也。心胸痛不治。肚痛初熱者無妨痂落後凶也。腰痛初起及痘中者凶十四日後者無妨。十指冷不治。手搖不治。足搖者不治手足痛[illegible]者凶八九日無妨。手心痛用一芍散足冷[illegible]者不治。眼出血者不治。耳出血者不治鼻衄者[illegible]。口吐血者鮮血可治黑血不治。尿血者不治

大便血可治。吐黄水者肚痛者凶不痛者無妨。吐膿疼者無妨

吐臭[illegible]者[illegible]。蛔虫[illegible]初起吐一二條無妨多則凶十三[illegible]吐出即

疹

初熱　麻疹初起可解肌升麻葛根湯加葱白蘓葉望潮熱盛加芩連地骨皮譫語調辰砂六乙散咳多加麥門冬麻黃杏石羔咳甚涼膈散加桔地骨皮寒熱如瘧小柴良

已出　已出煩躁作渴者解毒白虎合方喘滿便祕前胡梡小承氣湯通聖散可斟量

○前胡枳梡湯

前胡　枳梡　茯苓　大黃

甘艸

水煎服

譫語溺祕導赤散如淋四苓散加萆前木通譫譫言矣

死候　不治七　不死　咬牙　措者初起凶貫膿時不治　初起者不治起脹時凶七八日後可治　初起

語如狂發解毒湯調六乙散常

大便下血或溺血解毒湯合犀角地黃湯吐衄解

毒加梔子童尿

泄瀉解毒四苓散合京兼喘溺澁柴苓劑煩渴作瀉

白虎加蒼湯熱盛乾嘔解毒主傷食嘔吐四君湯

夏月因暑作嘔吐四苓散加人參康

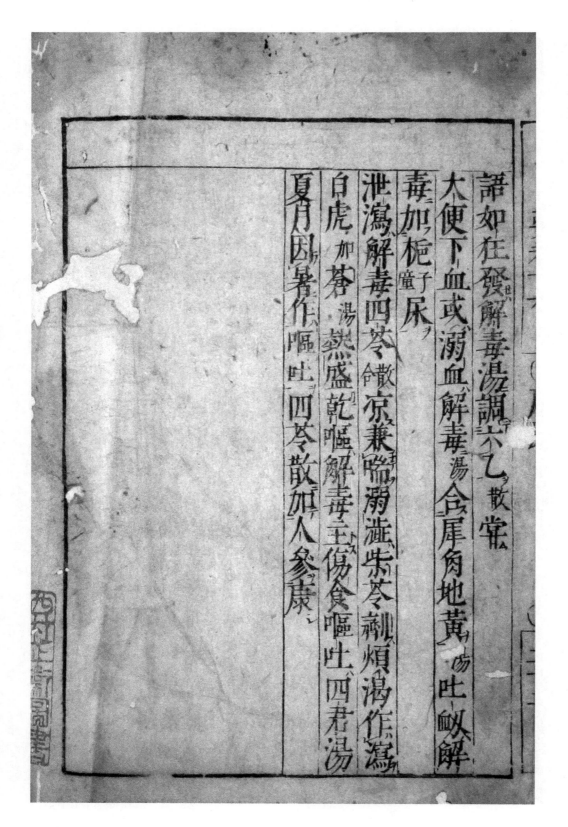

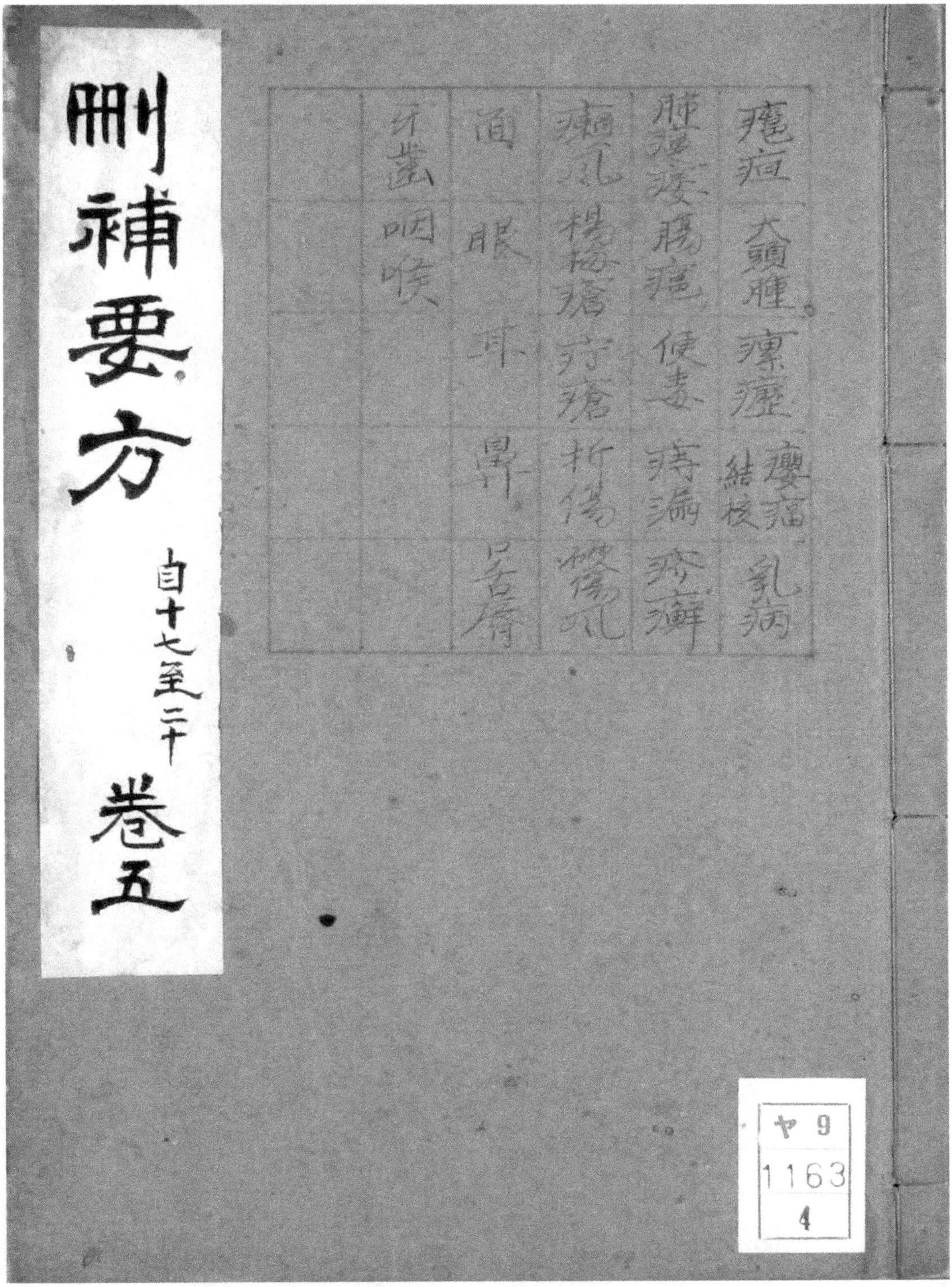
删補方要
自十七至二十
卷五
癰疽　大頭腫　瘰癧　癭瘤　結核　乳病
肺癰肺痿　腸癰　便毒　痔漏　疥癬
癜風　楊梅瘡　疔瘡　折傷
面　眼　耳　鼻　口舌唇
牙齒　咽喉
ヤ 9
1163
4

紋指毒瘡生手足指上以活田螺一枚生用搗研縛之即瘥

熱瘡腫痛
用家鴨糞同
雞子清調敷
即消
石聖惠方

卷之十七

癰疽總論

謙亭著

癰疽在表可發散敗毒散九味羌活湯先

醫鑒○連翹敗毒散　治癰疽發背疔瘡乳癰一切無名腫毒初起憎寒壯熱甚者頭痛拘急狀似傷寒

　即敗毒散去人參加金銀花連翹防風荊芥薑棗水煎服

却分部位用内托

發腦項背分黄連消毒散○尻臀分内托羌活湯○臂上白芷升麻湯○乳胸内托升麻湯○

內臁十味中和湯○腿外側內托酒煎湯○腿內近膝股內托芪柴湯

太陽

入門○黃連消毒散　東垣先生方　治足太陽經分癰疽發於腦項或背腫勢外散熱毒焮發麻木不痛宜先灸之或痛而發熱並宜服之

黃連　羌活各一錢　黃芩　黃蘗

藁本　防已　桔梗各五分　生地

知母　獨活　防風　歸尾

連翹各四分　黃芪　蘓木　陳皮

澤瀉各二分　人參　甘艸各三分

水煎服

祕藏○內托羌活湯　治足太陽經分癰疽發於尻臀

治婦精陰瘡　大田螺二ケ和殼燒存性入輕粉同研傅之効

堅硬腫痛大作兩尺脉緊無力

羌活　黄蘗各二錢　黄芪一錢半　防風

藁本　歸尾各一錢　連翹　甘艸

蒼朮　陳皮各五分　桂三分

水二盞酒一盞煎至一盞熱服

陽明

白芷升麻湯　治手陽明經分臂上生癰此得入風之變也

炙甘艸一分　升麻　桔梗各五分

白芷七分　當歸尾　生地各一錢　生黄芩一錢半

酒芩　連翹　黄芪各二錢　桂少許

紅花少許

酒水各半煎服

少陽門入

○內托升麻湯　治兩乳間出黑頭瘡瘡頂陷下作黑眼子并乳癰初起亦宜

葛根　升麻　連翹各一錢半　黄芪

當歸　炙甘艸各一錢　牛蒡子五分

桂三分　黄檗二分

水二盞酒一盞同煎服

○十味中和湯　治手足少陽經分發癰及時毒脉弦在半表半裡者

石菖　牛蒡子　羌活　川芎

防風　漏蘆　荊芥　麥門冬

前胡　甘艸

各等分水煎服

八味逍遥散　治脾胃血虚有熱生癰或遍身瘙痒煩熱肢體作痛頭目昏重或怔忡頰赤口燥咽乾口舌生瘡耳内作痛或發熱盗汗食少嗜臥或胸乳腹脹小便不利或手足少陽火盛内熱晡熱月經不調寒熱往來或脇乳腫痛耳下結核等症

當歸　芍藥　茯苓　白朮

茈胡　甘艸各一錢　牡丹皮　山梔子各七分

水煎服如頭目不清加川芎五分蔓荆子七分

清肝解鬱湯　治癰疽因肝經血虚風熱或肝經鬱火傷血乳内結核或爲腫潰不愈凡肝胆經氣血不和之症並皆治之

即八味逍遙散加入參陳皮川芎貝母熟地

○内托柴胡湯東垣先生方 治足太陰厥陰經分瘡生腿内近膝股或癰或附骨疽初起腫痛

黄芪二錢 柴胡一錢 羌活五分 連翹二錢半
土瓜根一錢酒洗 當歸尾七分半
桂三分 生地黄 黄蘗各二分

水二盞酒一盞煎熱服

○附子六物湯 治足太陰經流注四氣骨節煩疼四支拘急自汗短氣小便不利手足或時浮腫兼治五痺

附子 防已 肉桂各一錢 白茯苓
白朮各七分 甘艸二分半

薑煎服

少陰

○內托酒煎湯 東垣先生方 治足少陰經分癰生腿外側或因寒濕得附骨疽或微侵足陽明經分堅硬腫痛不能行

黃芪　歸尾各二錢　柴胡一錢半　連翹
肉桂　牛房子　白芷各一錢　升麻七分
黃蘗　甘艸各五分

水酒各半煎服

暑時

暑時復煎寒六月十宣散或不換金正氣散

机要○內托復煎散　治癰疽托裡健胃

地骨皮　黃芩　芍藥　人參
白茯苓　肉桂　黃芪　防巳

當歸　甘艸　白朮各一兩　防風三兩

蒼朮一斤

先以水五升煎蒼朮至三升去查入餘藥再煎至四盞取汁終日飲之其查亦如前煎汁飲之

○南豐李氏曰大槩冬月內托宜十宣散夏月及有熱者宜此

寒月

方局○內補十宣散或作托補 治一切癰疽瘡癤已成者潰未成者散敗膿自出無用手擠惡肉自去不犯針刀服藥後疼痛頓減排膿生肌其效如神

人參二戔　黃芪一戔　當歸二戔　厚朴

桔梗　肉桂　川芎　防風

白芷　甘艸各一戔

各等分爲末每三錢至五六錢熱酒調下不飲酒者木香磨湯調下○齊德之曰洪氏方有芍藥總錄無芍藥亦名生肉芎藭散治癰疽潰後內虛者或氣弱人初覺生瘡瘍亦不可服內消○龔氏醫鑒曰腫痛用白芷不腫痛倍桂○不進飲食加香附砂仁○痛加乳沒○水不乾加知母貝母○瘡不穿加皂角刺○咳加陳皮半夏杏仁生薑○大便閉加大黃枳殼○小便澀加麥冬車前木通燈心○李氏入門曰瘡愈服之尤佳或加金銀花尤妙如天熱去桂加栝樓根赤茯苓○小兒痘疹亦宜用此托裡○崇川陳氏去朴桔防風加木香香附陳皮茯苓穿山甲

裡

名神効托裡散

中山氏曰參芪補氣調表芎歸補血扶榮芷朴防風辛甘溫可以去表裡之邪氣可以順表裡之滯氣邪氣去則熱退滯氣順則痛止肉桂破瘀血利留血瘀破留利則榮不滯衛不逆桔梗所以到病處也甘艸所以和諸藥也○丹溪先生曰精要謂治未成也速散已成者速潰若用於輕小症候與冬月時令儘有內托之功冬月腫瘍用之亦有轉重就輕移潰于淺夏月潰瘍用之其桂朴之溫散佐以防風白芷雖有參芪亦難倚伏又日燥血瀉氣藥太多淡虛者勿輕用○徐氏曰十宜散此表裡血氣之藥如瘡盛形羸邪高痛下始熱終寒此反常也故當察時宜而權治可取十全之功若用於乳癰疽初發或已發或內托或身倦惡寒熱少或脈緩濇或絃或緊雖宜用之散風寒以助陽及始熱終寒之變也若施於積熱焮毒更不分經絡時宜不能不無懼也

裡症攻下活命飲內踈黃連湯瀉心湯煎或四順清涼飲

輕者清熱消毒飲劑加上紫艸滲之蠲

入門○活命飲　此藥不動藏府不傷氣血凡一切瘡毒瘡瘍未成者内消已成者即潰排膿消毒之聖藥惟已潰者忌用

甘艸節　赤芍　白芷　天花粉

貝母　乳香各一錢　防風七分　歸尾

皂角刺　陳皮各一錢半　金銀花三錢

没藥五分　大黃五錢　穿山甲三片

用好酒瓦罐煎密封罐口勿令泄氣煎熟隨瘡上下飲之服後再飲酒二三盃側臥而睡忌酸物鐵器如在背皂角刺爲君在腹白芷爲君在四肢金銀花爲君在胸加瓜蔞二錢便調者去大黃

机要○內踈黃連湯　治瘡皮色腫硬發熱而嘔大便閉脉洪實者

連翹二錢　大黃一錢半　黃連　黃芩
山梔　薄荷　木香　檳榔
芍藥　當歸　桔梗　甘草各一錢

薑水煎服○一方去木香檳榔加金銀花牡丹皮

入門○瀉心湯　治癰疽瘡毒腫盛發躁煩渴脉洪實而數

大黃一錢　黃連　黃芩　山梔
漏蘆　澤蘭　連翹　蘓木各五分

量虛實水煎服

表裡俱在

○淸熱消毒飮　治瘡疽陽症腫痛發寒熱作渴

金銀花二錢　芍藥　川芎

生地黃各一錢半　當歸　黃連

山梔　連翹　甘艸各一錢

水煎服

內傷外邪熱毒盛五香連翹湯　通聖散　仙

局方○五香連翹湯　治一切惡核瘰癧癰疽惡腫等

病

桑寄生無以升麻代之　連翹　木通

獨活　升麻　烏扇各三分　丁香半兩

乳香　沉香　木香　甘艸各一分

大黃三兩　麝香一錢半另研

每四錢水二盞煮取一盞空心熱服以利惡物爲度○李氏方用乳沉木艸麴扇升通桑獨芪各三分丁香半兩大便祕者加大黃三分李氏所以不用大黃者恐虛人老人不宜服故臨時加減耳○齊氏精義有藿香無木通乳香

正宗○雙解復生散　治癰疽發背諸般腫毒初起增寒發熱四支拘急內熱口乾二便祕宜此藥發表攻裡並效

即通聖散去石膏桔芩加參芪羌活金銀花水二碗表症甚者薑三片葱二莖裡症甚者臨服加生蜜三匙和服爲發表攻裡雙解藥也

鬱怒二八流氣朱虛勞托裡消毒專或內托復煎散補中益氣

湯

彭怒

集驗○十六味流氣飲　治無名惡瘡癰疽等症

川芎　當歸　芍藥　人參

黄芪　防風　白芷　紫蘇

木香　肉桂　桔梗　厚朴

烏藥　枳殼　甘艸

各等分水煎温服

中山氏曰癰結不流則脉道乏故參芪甘艸補其氣芎歸芍藥補其血膿血淋漓者尤可雖未潰破猶可用也木梹枳朴蘇烏防風皆所以破氣滯肉桂白芷乃所以破血滯未潰破者尤可既雖潰破餘毒未盡者猶可用也桔梗所以用爲舟楫也○丹溪先生曰夫十六味流氣飲乃表裏氣血藥也復以踈風助陽之藥參入非脉之洪緩沈遅緊細者不宜用

醫林○榮衛返魂湯　治癰疽發背大能順氣均血扶胃氣蕩滌邪穢自然順通不生變症眞仙劑也

何首烏　當歸　木通　赤芍

白芷　茴香　烏藥　枳殻

甘艸各等分

水酒相半煎○流注加獨活流注傷寒表未盡餘毒流於四支經絡爲流注如尚有潮熱則裡有寒邪未盡散加升麻紫蘇葛根如有頭疼加川芎薑水煎○如氣血盛者減歸多則生血發於他所再結癰癧生生不絶○癰疽生痰有二症一胃寒生痰加半夏二熱鬱成風痰加桔梗化咽膈之痰○腦疽發背在上者去木通恐導

虛勞

虛下元為上盛下虛之病老人虛弱者尤宜去之

薛氏○托裡消毒散　治瘡疽元氣虛弱或行攻伐不能潰散服之未成即消已成即潰腐肉已去新肉即生

人參　黃芪　白朮　茯苓

川芎　當歸　芍藥各一錢　金銀花

白芷各七分　甘艸五分

水煎服○龔氏醫鑒去四君芍藥加天花粉防風桔梗厚朴穿山甲皂角刺陳皮治不可早用生肌之藥恐毒氣未盡反增潰亂此守成之方也○陳氏正宗加皂刺桔梗治不可用內消泄

氣寒凉等藥致傷脾胃者

潰後

潰後托裡排毒膿潰溫和健抑益詳

精要 神効托裡散　治癰疽發背腸癰妳癰無名腫毒瘀作疼痛增寒發熱

金銀花　黄芪各五朩　當歸一朩八分　甘草八分

爲末每二盞酒一盞半煎服○孤竹王氏曰脉不數不發熱而痛者發於陰也及老人虛人宜神効托裡散十宣内補散

入門○托裡散　治癰疽氣血虛不能起發腐潰收斂或惡寒發熱肌肉不生宜此補托

人參　黄芪各二錢　白朮　陳皮

當歸　熟地　茯苓　白芍各一錢半

甘艸一錢

水煎服隨症加減

○托裡清中湯　治癰疽脾胃虛弱痰氣不清飲

食少思等症

即前方去芪苓芍歸加桔梗半夏薑棗

陳氏正宗加麥門冬五味子

玉義○托裡溫中湯　治瘡疽陽氣虛寒腸鳴切痛大

便溏泄欬逆昏憒此寒變內陷緩則不可救

附子四分　乾薑　羌活各三分　益智

丁香　沉香　木香　茴香

陳皮各一分　甘艸二分

薑煎服○陳氏正宗去沉蔻加蔘朮茯苓半夏

白豆蔻

入門 托裡和中湯　治癰疽中氣虛弱飲食少思瘡不消散或不腫痛或潰而不斂等症

即六君子湯加炮薑木香薑棗煎服

○托裡建中湯　治癰疽元氣素虛或因寒涼傷脾損胃飲食少思或作嘔泄瀉等症急服此藥以健中氣

即六君子湯去陳加炮薑薑棗

陳氏正宗有附子

○托裡抑青湯　治癰疽脾胃虛弱肝木所侮以致飲食少思或胸腹不利等症

即六君子湯加柴胡芍藥薑棗

○托裡益黃湯　治瘡疽脾胃虛寒水侮土以致飲食少思或嘔吐泄瀉等症兼治瘡疽六鬱所傷中氣虛弱食少等症

即六君子湯去苓加芎梔香附蒼朮薑棗

○托裡益氣湯　治瘡腫硬肉色不變或晡熱或潰而不斂并一切血氣内傷

白朮二錢　人參　白茯　貝母

陳皮　香附　白芍藥　當歸

熟地各一錢　桔梗　甘艸各五分

水煎服如口乾加五味子麥門冬寒熱往來加柴胡地骨皮膿清加黃芪膿多加芎肌肉遲生加白蘞肉桂

毒上攻心

毒氣上攻心者護心散

正宗○護心散　治瘡毒內攻口乾煩躁惡心嘔吐者

菉豆一兩　乳香三錢　辰砂一錢　甘草一錢

右共研極細每服二錢白滾湯調服○埜氏曰

此乃精要方護心散陳氏因加辰砂為良

丹溪先生曰綠豆味甘入陽明性寒能補為君解丹毒治石毒乳香去惡塵入心陰性溫善竄為佐甘草性緩解五金八石百藥毒為使想此方專為服丹石多發疽者設也若夫年老者病深者諸虛者體虛者綠豆雖補將有不勝其任之患

帶表

帶表面赤者托內復煎散當或十宣散

觸穢

無表無熱毒但穢觸虛熱少食人參黃芪湯

玉義○黃芪人參湯　治潰後食少無睡虛熱

即補中益氣湯去芪倍升加黃檗神麴五味

蒼朮麥冬水煎服○崇川陳氏曰或治穢氣
所觸作痛者効

膿多

膿多心煩必瘂者乃進聖愈湯尤可良

秘藏聖愈湯　治諸惡瘡血出多而心煩不安不得
睡眠亡血故也以此藥主之

生地　熟地　川芎　人參各三分
當歸　黄芪各五分

水煎熱服

脾虛

脾虧氣弱收斂難補中益氣湯生肌方

腎虛

腎虛不消潰收斂六味丸八味腎氣丸望

痛

未潰前痛為熱毒内踈黄連湯解毒湯疏已潰膿
出反痛者氣血虛弱脾腎虛

氣虛四君子湯加歸芪○血虛四物湯加參芪○氣血俱虛托裡益氣湯○脾虛者托裡和中湯○腎虛者腎丸

○乳香止痛散　治瘡腫疼痛不止

罌粟殼六匁　白芷三匁　甘艸

陳皮各二匁　沒藥　乳香各一匁　丁香五分

每五錢水煎服

肌不生口不收	肌肉不生瘡口不斂氣虛補中益氣湯血虛四君加歸地黃牡丹皮氣血兩虛太補湯舒
慢腫	脾胃虛弱慢腫不赤六君子湯倍朮
變陰	陽脫變陰參附湯舋
虛熱	血分虛熱四物主加梔子仁連翹氣分虛熱竹葉黃芪湯除

精義 竹葉黃芪湯 出總錄一百三十一 治諸癰疽發背煩渴及一切惡瘡發大渴者

竹葉二及　黃芪　當歸　川芎

甘草　黃芩　芍藥　人參

麥門　半夏　石膏各三及　生地黃八及

薑水煎溫服

雜症治例

煩躁 煩躁虛熱聖愈湯主之兼汗氣虛獨參湯發熱煩躁肉瞤惕氣血俱虛八物湯良陰虛發熱脉洪大渴而面赤歸芪湯望陰盛發躁沉微脉四君子湯加附薑

口渴 大渴便和竹葉石膏湯便祕四順清涼飲寒燉偏熾

盛活命飲膿水多者聖愈湯完胃傷亡津錢氏白术散腎水乾涸八味丸先瀉瀉數後生痘預服八味丸益氣湯安

泄瀉

泄瀉寒凉傷脾者六君子中加砂仁或托裏黽中湯托裏溫中湯可脾虛下陷瀉不止益氣煎湯吞二神丸命門火衰煎八味料吞下四神丸尤可眞腎虛不固投薑附湯加吳萸五味孔痛附子理中湯四逆湯伸

便祕

便祕可通是常法伏熱傷鬱汗乃通潰後氣虛血涸祕十全大補湯尤有功或入房傷腎加鹿附

膿臭

潰後腫痛膿臭敗人參黃芪湯或大補湯加麥冬五味望云

睛青

黑睛緊小白睛青黑上視者是肝腎陰虛腎氣丸料或八物湯加炒山梔麥冬五味

喘急　喘急恍惚昏臥者益氣湯加麥冬或六君加薑棗
心火剋肺人參平肺散陰火傷肺腎氣丸分料加梔子
肩背肢重　肩背不便四支重脾腎虛損尤可良補中益氣或
太補湯俱加山藥山茰五味子
食少嘔藥　食少嘔藥胃虛弱六君加木香砂仁甚加附子茯苓托
裡清中湯劑挾火托裡益黃湯眞
嘔吐　瘡腫時嘔熱攻心熱盛焮痛活命飲尋或護心散作膿
焮痛托裡消毒飲膿熟脹痛托裡散臨焮痛便秘作
嘔者內疎黃連湯可斟寒凉傷胃六君子加乾薑
木香加減湯
六君加減法木乘土位加芷芍○胃脘停痰加
桔梗○脾虛自病或木侮土加益智砂仁○鬱

結傷脾加川芎香附山梔蒼朮○溼氣侵胃倍
白朮

聲嘶　聲嘶唇鼻變青色面白四支腫且黃此是脾肺俱
面腫　虛極十全太補湯加炮薑（或益氣湯加薑棗或君子加炮薑甚加附子）
陽虛　陽虛寒戰腹疼泄自汗飲逆腸雷鳴急用托裡溫
中湯劑六君子加薑桂附子平
虛極發躁欲坐井蕩然變痓身反張參芪歸朮取
大劑加入八味丸料嘗
陰虛　陰虛晡熱夜不寐瘡出紫血口渴消爲投托裡益
氣劑四物湯腎氣丸皆可徵
便血瘀滯　便血瘀滯犀角地黃湯
愈後失血　愈後吐衄隨經調

肝熱四物湯加山梔牡丹苓朮○肝虛腎氣丸○心火四物加牡丹黃連苓朮○脾虛熱四君加炒梔牡丹○脾經鬱結歸脾湯加五味子○脾肺氣虛補中益氣湯加五味子○氣血俱虛十全大補湯○陰火動者腎氣丸加五味子○大凡失血過多見煩熱發渴等症急用獨參湯補之

雞子殼黃連輕粉末各分為細末用鍊過杏油

外腎瘡瘍

調塗　医林正宗

要卷之十七

升麻牛房子散　治時毒頭面腫有瘡及攻胸膈脉浮洪者

粘桔耳鷄彭麻廉姜

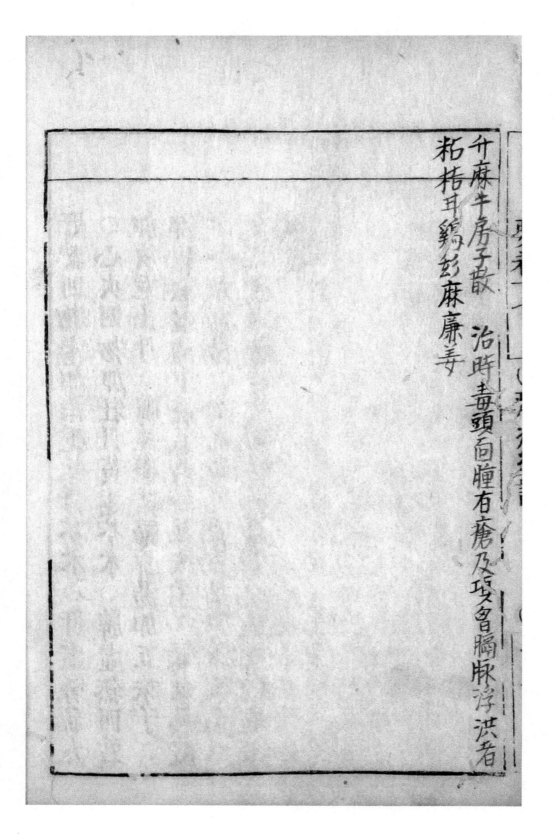

牛旁芩連湯
積熱在上頭項
腫起或面腫多
耳根上起俗呉頭
瘟并治煙瘴
芩酒炒三錢 黄
連酒炒 桔梗
各一錢半 石羔力炒
彭各錢 大黄酒浸
荊芥 羌活 甘草 各
三分 姜三錢

卷之十八　外科中

大頭腫

大頭腫痛時行毒治分表裏三陽屬表症荊防敗毒煎或清震湯

加減敗毒散　壽世　治天行時疫頭面腫大咽喉不利舌乾口燥憎寒壯熱時氣流傳不問四時通用

防風　荊芥　羌活　獨活

前胡　升麻　葛根　赤芍

桔梗　川芎　白芷　茯苓

牛蒡　甘草　柴胡

裡

薑葱煎熱服出汗

試效清震湯　治雷頭風症頭面疙瘩腫痛憎寒發熱狀如傷寒病在三陽不可過用寒藥重劑誅伐無過

荷葉一枚　升麻五錢　蒼朮五錢

水煎溫服蓋震爲雷而荷葉之形象震體其色亦青乃涉類象形之義也

裡症通聖散加牛房子玄參帯輕者普濟告

○普濟消毒飲子　治天行大頭病頭面腫盛目不能開上氣喘急咽喉不利舌乾口燥此邪熱客於心肺上攻頭面互相傳染害人甚速

黃芩　黃連各五錢　牛房子　馬勃

藍板根　連翹各一錢　人參三錢　陳皮
甘艸　桔梗　玄參　柴胡各二錢
升麻　白薑蠶各五分
爲末白湯調時時服之留一半蜜丸含化或加
防風荻荷芎歸水煎服大便硬者加大黄一二
錢以利爲度

豊溪吳氏曰芩連苦寒用之以瀉心肺之火
而連翹玄參板藍根鼠粘子馬勃殭蠶皆清
喉利膈之物也緩以甘艸之國老載以桔梗
之舟楫則諸藥浮而不沉升麻升氣于右柴
胡升氣于左清陽升于高巔則濁邪不得復
居其位經曰邪之所湊其氣必虚故用人參
以補虚而陳皮者所以利其壅滯之氣也又
曰大便秘者加大黄從其實而瀉之則竈底
抽薪之
法爾

表裡症罷腫不消磁鋒去血通關散搐

不消

久不愈

正宗連翹消毒飲 治時毒表裡二症俱罷餘腫不消疼痛不退者

連翹 川芎 當歸 赤芍

牛房子 薄荷 黃芩 天花粉

甘草 枳殼 桔梗各一錢 升麻五分

水二鍾煎八分食後服便燥者加酒炒大黃

久不愈而欲作膿托裡消毒散可服

體倦食少益氣湯加桔梗 潰後膿清六君子湯加桔芎歸 督

陽明

瘰癧

瘰癧散腫潰堅湯

散腫潰堅湯 秘藏 治馬刀瘡結硬如石或在耳下至缺盆中或肩上或於脇下皆手足少陽經中及瘰癧遍於頦或至頰車堅而不潰在足陽明經中所出或二證瘡已破流膿水並皆治之

黃芩八錢　龍膽　瓜蔞根　黃蘗

知母　桔梗　昆布各五錢　柴胡四錢

炙甘　三稜　莪茂　連翹各三錢

葛根　芍藥　當歸尾　黃連各二錢

升麻六分

右剉先用水浸半日煎熱服再用半料爲末蜜丸菉豆大每百丸服藥時足高去枕仰臥緩緩以煎湯送下○或加海藻一錢尤妙

○活血化堅湯　治一切瘰癧及癭瘤痰核初起未潰膿者並効

防風　赤芍　歸尾　天花粉
金銀花　貝母　川芎　皂角刺
桔梗各一錢　白薑蠶　厚朴　五靈脂
陳皮　甘艸　乳香　白芷各五分

水二鍾煎八分臨服用酒一小杯食後服

少陽筋癧柴胡清肝量

薛氏○柴胡清肝散　治肝膽二經風熱怒火頸項腫

痛結核不消或寒熱往來嘔吐痰水又治婦人暴怒肝火内動經水妄行胎氣不安等症方見火門

秘藏○柴胡通經湯　治小兒項側有瘡堅而不潰名曰馬刀瘡

柴胡　連翹　歸尾　甘艸

黄芩　牛房子　三稜　桔梗各二分

黄連五分　紅花少許

水煎稍熱服

痰

痰癧芩連二陳剤氣毒加味藿香良

正宗○芩連二陳湯　治痰癧生於少陽部分項側結核外皮漫腫色紅微熱或至缺盆高骨上下發腫形長堅硬作痛名曰馬刀初起宜服此

氣　風

卽苓連二陳湯方見內科痰門加桔梗連翹牛房子天花粉木香夏枯艸薑煎服

○加味藿香散　治氣毒瘰癧外受風邪內傷氣鬱以致頸項作腫肩背強痛四支不舒寒熱如瘧及胸膈不利

藿香　甘艸　桔梗　青橘皮

陳橘皮　柴胡　紫蘇　半夏

白朮　白茯苓　白芷　厚朴

川芎　香附子　夏枯艸各等分

薑棗水煎服

風毒防風解毒去熱毒連翹消毒方

○防風解毒湯　治風毒瘰癧寒暑不調勞傷湊

熱

襲多致手足少陽分耳項結腫或外寒內熱痰
凝氣滯者並効
防風　荊芥　桔梗　牛房子
連翹　甘艸　石膏　薄荷
枳梗　川芎　蒼术　知母
燈心水煎食後服
○連翹消毒飲　治熱毒瘰癧過食炙煿醇酒膏
粱以致蘊熱腮項成核或天行亢熱淫痰作腫
不能轉側者効
連翹　陳皮　桔梗　玄參
黃芩　赤芍　當歸　梔子
葛根　射干　天花粉　紅花各一錢

肝勞 心勞

甘艸五分 大黃初起便燥者加之

水煎食後服有痰加竹茹一錢

心勞益氣養榮主肝虛逍遙加味散望

醫鑑○益氣養榮湯 治懷抱抑鬱瘰癧流注或四支

患腫肉色不變或日晡發熱或潰而不斂

黃芪 當歸 人參 白朮各一錢半

川芎 炒芍 生地 陳皮

香附子 貝母各一錢 地骨皮 茈胡

桔梗 甘艸各五分

水煎食遠服○痰加陳皮○刺痛加青皮或木

香○午後有熱或頭微眩加酒黃檗○膿水清

倍參芪當歸○女人有鬱氣胸膈不利倍香附

子貝母○月經不調加牡丹皮當歸紅花○陳氏正宗曰膿潰作渴倍參芪歸朮○肌肉生遲加肉桂白蘞○潰後反痛加熟附沉香

腎虛　經久膿血腎氣丸與補中勝毒脾胃昌

脾虛　壽世○補中勝毒湯　治瘰癧已破者

即益氣湯加生地防風熟地芎藥連翹

癭瘤　附結核

初起　癭瘤初起氣實者海藻玉壺六軍丸

正宗○海藻玉壺湯　治癭瘤初起或腫或硬或赤不赤但未破者

海藻　貝母　陳皮　昆布

青皮　川芎　當歸　半夏

連翹　甘艸　獨活各一錢　海帶五分

水煎服

○六軍丸　治癭瘤已成未潰者宜服

蜈蚣　蟬退　全蝎　殭蠶

夜明砂　穿山甲

右等分為細末麪糊丸粟大辰砂為衣每三分
食遠酒下

久病久而虚者十全飲兼投琥珀黑龍丹

○十全流氣飲　治憂鬱傷肝思慮傷脾致脾氣不行逆於肉裡乃生氣癭肉瘤皮色不變日久漸大宜服此藥

陳皮　白茯苓　烏藥　川芎
當歸　芍藥各一錢　香附子八分
青皮六分　甘草五分　木香三分

薑棗水煎食遠服

○琥珀黑龍丹　治五癭六瘤不論新久但未穿破者並宜服之

琥珀一兩　血竭二兩　京墨　五靈脂炒
海帶　海藻　南星各五錢　木香三錢
麝香一錢
為末蜜丸一錢重金箔為衣每一丸熱酒化服

筋瘤

筋瘤清肝蘆會合血瘤芩連二母寛

○清肝蘆會丸　治惱怒傷肝致肝氣鬱結為瘤
其堅硬色紫壘壘青筋結若蚯蚓遇喜則安遇
怒則痛者服之
川芎　當歸　芍藥　生地各二錢
青皮　蘆會　昆布　海粉
甘艸節　皂角　黃連各五錢
為末麴糊丸梧子大每八十丸白湯下

血瘤

○芩連二母丸　治心火妄動逼血沸騰外受寒凉結爲血瘤其患微紫微紅軟硬間雜皮膚隱隱纒如紅絲皮破血流禁之不住者宜服

黃芩　黃連　知母　貝母
川芎　當歸　芍藥　生地
熟地　蒲黃　羚羊角　地骨皮各等分
甘艸減半

爲末側栢葉煎湯打寒食麪爲丸桐子大每七十丸燈心湯送下

肉瘤

肉瘤加味歸脾主氣瘤通氣散堅般

○順氣歸脾丸　治思慮傷脾致脾氣鬱結乃生肉瘤軟如綿腫似饅脾氣虛弱日久漸大或微

疼或不疼者服
陳皮　貝母　香附子　烏藥
當歸　白朮　茯神　黃芪
酸棗仁　遠志　人參各一　木香
甘艸各錢三
爲末合歡樹根皮四兩煎湯煮老米糊丸桐子
大每六十丸食遠白湯下

氣瘤

○通氣散堅丸　治憂鬱傷肺致氣濁而不清聚
結爲瘤色白不赤軟而不堅繇陰陽失度隨喜
怒消長者宜服
陳皮　半夏　白茯苓　甘艸
石菖蒲　枳實　南星　天花粉

桔梗　川芎　當歸　貝母
香附子　海藻　黄芩各等分
爲末荷葉煎湯丸安豆大每一錢食遠燈心二十根生薑三片泡湯送下

骨瘤調元腎氣劑五瘤皆除君可歡

○調元腎氣丸　治房慾勞傷憂恐損腎致腎氣弱而骨無榮養遂生骨瘤其患堅硬如石形色或紫或不紫推之不移堅貼於骨形體日漸衰瘦氣血不榮皮膚枯槁甚者寒熱交作飲食無味舉動艱辛腳膝無力者並服之

生地四兩　山茱萸　山藥　牡丹皮
白茯各二兩　人參　當歸　澤瀉

麥門冬　龍骨　地骨皮各一兩
木香　砂仁各三錢　黃蘗　知母各五錢
爲末鹿角膠四兩老酒化稠加蜜四兩同煎滴水成珠和藥爲丸桐子大每八十丸空心溫酒送下

結核全是因痰致開氣消痰加減看

醫鑑開氣消痰湯　治胸中胃脘至咽門窄狹如線疼痛及手足俱有核如胡桃者
陳皮　黃芩　枳梂各一錢半　半夏
枳實　羌活　荊芥　烏扇
葳靈仙各七分　前胡　檳榔各八分
桔梗一錢二分　香附子　薑蠶各一錢二分

木香五分 甘艸六分

薑三片水煎服

婦人乳癰 酒下頭垢五丸即退消

乳癰未潰 人牙齒燒研酥調貼之 附後方

乳癰初起 牛屎和酒敷之即消

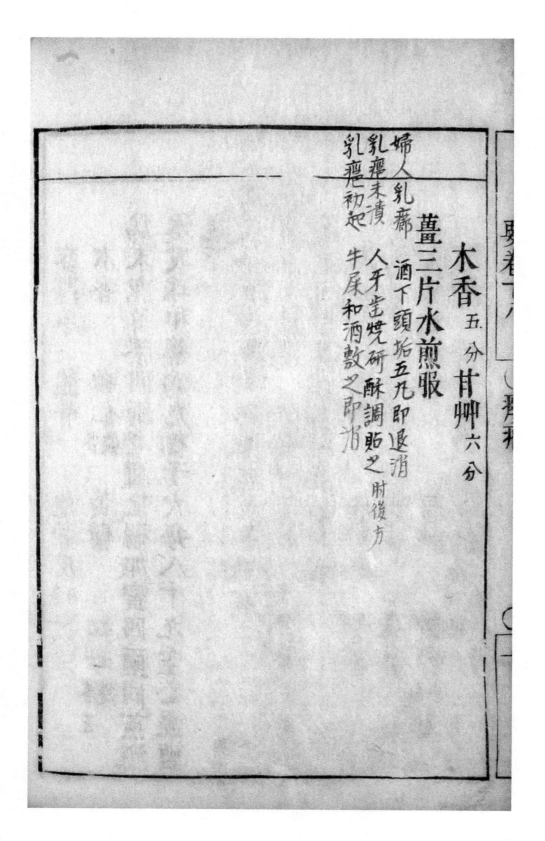

乳病

初起　乳病初起寒熱嘔不換金散加天花粉發表康散或敗毒散〇回

春日婦人吹乳乳癰便毒憎寒壯熱或頭痛者敗毒散加金銀花白薑蠶貝母天花粉青皮芷歸

結核　結核不散痛甚者先用隔蒜灸法良能飲一醉膏加芎歸入不飲瓜蔞散可望

〇一醉膏　治癰疽發背乳癰初起神効

瓜蔞一箇　甘草五錢　沒藥二錢半

用紅酒三碗煎至二碗半分兩次溫服重者再進一服以瘥爲度或加歸芷乳香亦妙如宜毒加皂角刺一分

〇瓜蔞散　治乳癰未潰者即散　醫學綱目丹溪先生方

瓜蔞　青皮各一分　石膏二分　甘草節
沒藥　歸尾　皂刺　金銀花各五分
青橘葉取汁二匕
水酒各半煎空心服如已潰者去膏沒皂金用
歸身加參芪芎芍煎服
氣虛四君加芎歸柴胡升麻送芷貝散血虛四物加參朮升柴
芷貝散嘗憂思傷脾歸脾劑加瓜蔞貝母連翹白芷甘草節肝火
腫痛清肝解鬱湯

○古芷貝散　治有孕乳結核名內吹妳有兒外
吹妳宜此頻服不然膿出
白芷　貝母
各等分為末每一錢酒調服

吹乳	吹乳重者服解毒湯輕者益元散與冷薑湯
乳不行腫	乳汁不行成腫痛爲殺湧泉散尤當
乳癰	核久成癰硬瘇者未潰牛蒡子湯可量

正宗○牛房子湯　治乳癰乳疽結腫疼痛毋論新久但未成膿服

陳皮　牛房子　山梔子　金銀花
甘艸　瓜蔞　黃芩　天花粉
連翹　皂角刺各一錢　柴胡
青皮各五分

水二鍾煎八分入酒一杯和匀食遠服

醫林○復元通氣散　治乳癰結核不散

木香　茴香　青皮　穿山甲

陳皮　白芷　甘艸各等分　貝母一錢

水煎或酒調亦可

濟世○觀音救苦散　治吹乳乳癰痛腫不可忍

金銀花　皂角刺　穿山甲　歸尾

白芷　天花粉　瓜蔞　貝母

甘艸節

右剉酒煎服

入門○虛者托裡消毒散

將潰乳間黑癢出内托升麻湯乃常已潰寒熱十宣散少食口乾益氣湯方晡熱内熱宜八物湯加五味子○過勞腫痛倍參芪歸朮○過怒腫痛加山梔子胃虛嘔者六君子加香附砂仁胃寒嘔吐或瀉加乾薑藿香

乳岩

乳岩二十八流氣飲虚者清肝解鬱湯或大補湯詳

肺癰神湯　肺癰者労傷気血内有積熱外受風寒胷中滿急隱痛咽乾口燥時出濁唾腥臭吐膿如米粥者死脉滑數或實大凡患者右脇按之必痛但服此湯未成則消已成即潰已潰則愈此余之新定屢用屢有効者也　桔梗　金銀花　黄芪　白芨各一錢　薏苡仁五錢　甘草節　陳皮一錢二分　貝母一錢六分　甜葶藶八分炒　姜二片　新起加防風一錢　去黄芪　潰後加人參一錢　久不斂加合歡皮

秦艽扶羸湯　治肺痿骨蒸声嗄自汗寒熱咳嗽　柴胡二錢　人參　鱉甲　秦艽　當歸　地骨皮各一錢半　紫苑　半夏　甘草各一錢　姜棗

肺痿肺癰

肺痿

肺痿涎粘知母芩咯血将變癰紫苑安

醫統○知母茯苓湯　治肺痿喘嗽不已往來寒熱自汗出　宜明方

知母八分　白茯苓一錢　黄芩七分

五味子一錢　桔梗　款冬花

麥門冬各一分七　柴胡　人參

半夏各一錢　薄荷五分　甘艸一錢　白朮八分

川芎　阿膠各五分

薑三片水煎服○入門曰如夜嗽甚加當歸地黄

○紫菀散 海藏王氏方 治虛勞咳嗽見膿血肺痿肺癰

紫菀　知母　貝母各一錢　人參

桔梗　茯苓各五分　阿膠一錢　甘艸五分

五味十二粒

水煎服

火盛人參平肺散，虛損劫勞散尤靈。

醫統○人參平肺散 治心火刑肺金傳爲肺痿咳嗽喘嘔痰涎壅盛胸鬲痞悶咽嗌不利 出秋華方

桑白皮一錢　知母一錢　甘艸五分

地骨皮半五分　陳皮八分　五味子二十粒

茯苓　青皮　人參　天門冬各八分

薑三片水煎溫服○熱加黃芩紫蘇半夏○午後熱聲嘶加杏仁桔梗○有膿血將變癆加紫菀

○劫勞散 治心肺俱虛勞嗽無痰夜熱盜汗四肢倦怠體瘦食少恍惚異夢嗽中有血名曰肺癆

即十全大補湯去芎桂加半夏五味阿膠

回春○薏苡散 治肺癆咳嗽其症辟辟燥咳胸中隱隱而痛脈弱無力

薏苡仁 百部 桑白皮 麥門冬

黃芪 五味子 人參 黃芩

白芍 當歸

薑水煎服

虛冷不渴炙甘艸湯加乾薑加味理中湯可銘

正宗○加味理中湯　治肺胃俱虛咳嗽聲重發熱不己又兼脉浮數而無力者服之

甘艸　半夏　茯苓　乾薑

白朮　陳皮　細辛　五味

人參

喘急寒熱表邪在小青龍湯葶藶散屏

肺癰

肺癰尸乾咳膿血桔梗消膿爲主方

金匱○葶藶大棗瀉肺湯　肺癰喘不得卧者主之

葶藶熬黃擣丸如彈子大　大棗十二枚

右先以水三升煮取二升去棗內亭歷煮取清

一升ヲ頓ニ服ス○林氏億曰此レ先ツ服ノ小青龍湯一劑乃イ進ム

正傳○桔梗湯　治肺癰心胸氣壅咳嗽膿血心神煩悶咽乾多渴兩脚腫滿小便赤黃大便多澁ノ古今錄驗方

桔梗　貝母各一錢　當歸　瓜蔞

薏苡仁各八分　枳殼五分　桑白皮

防已各五分　甘艸　杏仁　百合各三分

黃芪五分

薑水煎服○大便祕加大黃○小便澁加木通○嚴氏濟生無黃芪有人參○薜氏加五味子葶藶地骨皮知母ヲ

○消膿飲　治肺癰有膿腥氣上衝嘔吐咳嗽

南星一錢　知母　貝母　生地黄

阿膠　川芎　桑白皮　白芨

白芷　甘艸各五分　射干　桔梗

天門冬　茯苓　杏仁　半夏

紫蘇　防風各七分半

薑七片烏梅一箇水煎服

咽痛甘桔湯可與血嗽梅豆湯可望痰嗽食火花裡

清中湯劑短氣溺火補肺湯良脾虛火食補脾湯

主飢飽勞力圓參湯暈咳唾痰壅為腎虛丸六味虛

火口燥八味丸嘗

薛氏○人參補肺湯　治肺癰腎水不足虛火上炎咳嗽

唾膿血發熱作渇小便不調
人參　黃芪　白朮　茯苓
陳皮　當歸　牡丹各一錢　山茱
山藥各二錢　五味子　麥門　甘艸各七分
熟地一錢半
薑水煎服
○參芪補脾湯　治肺症因脾氣虛弱咳唾膿涎
中滿不食宜兼服此藥以補脾土生肺金
卽補中益氣湯去柴加茯苓五味子
薑水煎服○李氏入門有麥門桔梗

腸內生癰雄雞頂上毛并屎燒末空心酒服　千金方

內癰未成取伏雞屎水和服即瘥　千金方

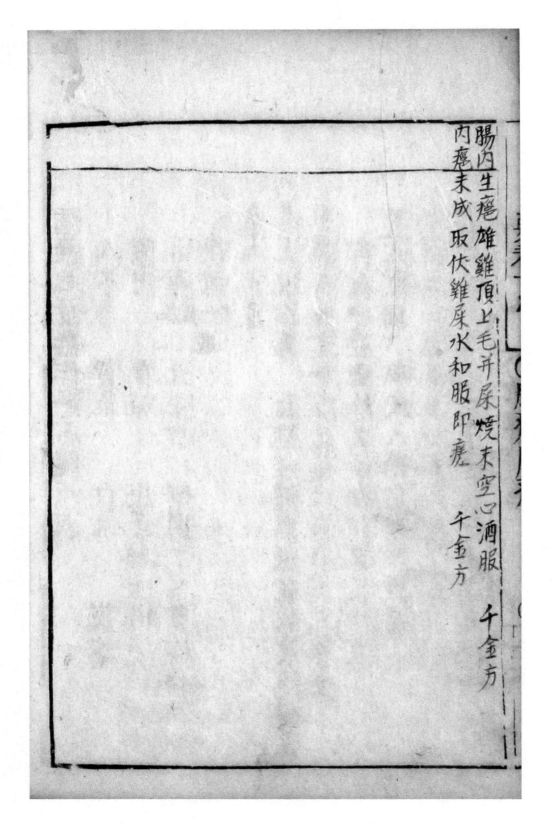

腸癰

腸癰初起未有膿大黄牡丹下之攻或五香連翹湯活血散瘀湯不敢下敗毒散可加秦艽連翹脉芤濇四物湯加桃紅玄胡索木香

要略○大黄牡丹湯　腸癰必腹腫痞按之即痛如淋小便自調時時發熱自汗出復惡寒其脉遲緊者膿未成可下之主之

大黄四兩　牡丹皮一兩　桃仁五十枚

瓜蔞半斤　芒硝三合

水煎服有膿當下如無膿當下血

正宗○活血散瘀湯　治産後惡露不盡或經後瘀血

作痛或暴急奔走或男子杖後瘀血流注腸胃作痛漸成內癰及腹痛大便燥者並宜服之

川芎　當歸　赤芍　蘓木

牡丹皮　枳殼　瓜蔞　桃仁各一錢

梹榔六分　大黃二錢

水煎服

脉洪數者膿已有薏苡仁湯牡丹湯通

三因○薏苡仁湯　治腸癰腹中疞痛煩毒不安或脹滿不食小便澁婦人產後虛熱多有此病縱非癰但疑是便可服就有差互亦無害

薏苡五錢　牡丹　桃仁各三錢　瓜蔞四錢

水煎服○崇川陳氏加白芍藥

集驗○牡丹散　治腸癰冷症腹濡而痛時時利膿

牡丹　人參　天麻　白茯苓

黃芪　木香　當歸　川芎

肉桂　桃仁各三分　白芷　薏苡

甘艸各二分

水煎溫服

虛冷十宣散敗醬散膿多梅豆湯合甘桔湯同

要畧○薏苡附子敗醬散　腸癰之爲病其身甲錯腹皮急按之濡如腫狀腹無積聚身無熱脉數此爲腹內有癰膿主之

薏苡仁二十分　附子二分　敗醬五分

水煎服小便當下

入門梅豆湯　治腸癰冷熱及肺癰咳唾膿血不止

烏梅一個　黑豆百粒　薏苡仁二合

水煎入阿膠蒲黃各一錢再煎服

膿止調理十宣散主八物補中益氣功

玉莖下瘡　雞卵殼炒研油調傳之　杏林摘要

男子陰瘡因不忌月事行房陰物漬爛用室女血衲瓦上燒存性研末麻油調傳之　血衲月經衣也

玉莖作瘇　乳香葱白等分搗傳　山居四要

男子陰瘡　有二種一者陰蝕作臼膿出一者只生挺瘡甦瘡用黃柏黃芩等分煎湯洗之仍以黃柏黃連作末而傳之　又方黃柏煎湯洗之塗以白蜜肘後方

便毒

便毒敗精五苓散利便秘加大黃寒熱小柴胡湯加澤瀉

梔子溼熱便難八正散龍胆瀉肝通眞奇

秘藏龍膽瀉肝湯　治陰部時復熱痒及臊臭

柴胡　澤瀉各一錢　車前子　木通各五分

生地黃　當歸尾　艸龍膽各三分

水煎稍熱服〇李氏入門有梔芩治肝經溼熱

或囊癰便毒下疳懸癰腫㿂作痛小便澁滯或

婦人陰瘡痒痛或男子陰挺腫脹或出膿水

中山氏曰此東垣老人治肝膽蘊熱之要方也柴胡龍膽苦寒入肝膽經而抑火瀉火澤瀉車前子木通苦寒利熱瀉火生地甘寒涼肝血當歸甘溫和肝血

醫鑒通真散　治便毒如神

牽牛一錢半　大黃三錢　歸尾三錢　甘艸節二錢

白薑蠶一錢半　木鼈三箇　穿山甲二錢

好酒煎，早晨空心服。○崇川陳氏曰：治魚口便毒、騎馬癰、橫痃等症，初起未成膿者。

挾鬱怒，復元通氣散發，加天花粉、白芷、木香。腫痛甚者，活命飲。治溼熱因勞倦氣滯，益氣湯、太補湯、托裡散宜。

痔漏

風溼　痔瘡風溼秦艽湯防風蒼朮加上當便秘加大黄

秘藏○秦艽羌活湯　治痔漏成塊下垂不任其癢

羌活一錢二分　秦艽　黄芪各一錢　防風七分

升麻　甘艸　麻黄　柴胡各七分

藁本三分　細辛少　紅花少

水煎服○去羌芪麻藁辛加歸朮澤瀉黄蘗大黄陳皮桃仁名秦艽防風湯治痔大便時發痛○去羌芪升艸麻柴藁華紅加桃仁皂角蒼朮黄蘗歸尾澤瀉梹榔大黄名秦艽蒼朮湯

溼熱　溼熱加味連殼剤紅花桃仁湯亦良

入門○加味連殼丸 治濕熱內甚飽食腸澼發爲諸痔久而成瘻

黃連一兩 枳梖 厚朴各五錢 當歸四錢

木香 黃檗各三錢 荊芥二錢 蝟皮一箇

爲末糊丸梧子大每三十丸溫水下

秘藏○紅花桃仁湯 治痔漏經年因而飽食筋脉橫解腸澼爲痔治法當補北方瀉中央

黃檗一錢五分 生地一錢 澤瀉八分 蒼朮六分

歸尾 防已 防風 猪苓各五分

麻黃二分 紅花半分 桃仁十箇

水煎服

燥痔

燥痔便閉清涼飲當歸郁李仁可量

熱痔

○當歸郁李仁湯　治痔漏大便硬努出大腸頭下血若痛不能忍

栯李仁　皂角各一錢　枳實七錢　秦艽

麻仁　歸尾　生地　蒼朮各五分

大黃　澤瀉各三分

水煎服

熱痔槐角與解毒痛甚七聖丸大黃

○槐角丸局方　治五種腸風瀉血糞前有血名外痔糞後有血名內痔大腸不收名脫肛穀道四面努肉如嬭名舉痔頭上有孔名瘻並皆治之

槐角一斤　枳殻　黃芩　當歸

防風　地楡各八兩

爲末酒糊丸梧子大每三十丸米飲下

壽世○祛風解毒湯　治痔瘡腫痛初起立效

黃連　黃芩　赤芍　枳殼

黃檗　槐花各一錢　連翹　苦參

大黃各一錢五分

水煎服○濟世全書有梔子一

痛甚

局方○七聖丸　治風氣壅盛痰熱結搏胸滿腹脹二

便秘澁

郁李仁　大黃各一兩　肉桂　羌活

檳榔　木香　川芎各半兩

爲末蜜丸梧子大每十五丸熟水下○東垣先

生曰大腸疼痛不可忽用此方取微利而愈切

虫痔

禁不得多秘其痛滋甚

虫痔蝟皮作丸與痒甚黑玉皂刺望

心法附 ○蝟皮丸　治諸痔出血裡急疼痛

槐角　艾葉炒黃　枳殼　地榆

當歸　川芎　黃芪　芍藥

礬石　貫衆各五錢　蝟皮一兩　髮灰三錢

皂角一錠

爲末蜜丸梧子大每五十丸米飲下

無甚

局方 ○神應黑玉丹　治腸風痔瘻著床頭痛不可忍

蝟皮十六兩　猪懸蹄一百隻　雷丸

脂麻各四兩　牛角腮十二兩　苦楝根五兩

亂髮　敗椶各八兩　槐角六兩

右剉碎用瓷罐内燒存性碾爲末入乳香二兩麝香八錢和匀用酒打麪糊爲丸梧子大每八粒先細嚼胡桃一枚以温酒吞下

醫林○皂刺丸　治痔痛而復痒

皂角刺二兩燒存性　枯礬　枳殻

蒺藜子　蛇床　羌活各半兩　防風

槐花各七錢半　蜂房炒焦　五倍子各二錢半

爲末醋調菉豆粉爲糊丸小豆大每五十丸以練根煎湯下

氣痔

氣痔橘皮湯尤妙下血逐瘀芎歸謹

心法附○橘皮湯　治氣痔

陳皮　枳殻　川芎　槐花各二錢

檳榔　木香　桃仁　蘓木
香附子　甘艸各一錢
薑棗水煎服

下血

醫林○逐瘀湯　治痔漏熱症瘀血作疼通利大小腸
取下黑物
川芎　白芷　生地　赤芍藥
五靈脂　枳梲　阿膠　茯苓
莪朮　白茯神　木通　甘艸各一錢
大黃　桃仁各一錢半
薑三片蜜三匙水煎服以利爲度

心法附○芎歸丸　治痔下血不止
川芎　當歸　黃芪　神麴

地榆　槐花各二匁　阿膠　荊芥

木賊　頭髮燒存性各一分

爲末蜜丸米飲下

酒痔乾葛湯可主食痔黄連最能康

酒痔附心法○乾葛湯　治酒痔

葛根　枳實　半夏　茯苓

生地黄　杏仁各半匁　黄芩　甘艸各二匁半

每三錢黑豆百粒薑五片白梅一箇水煎服

食痔心法○黄連散　元有痔漏又於肛門邊生一塊皮厚

腫痛作膿就在痔孔出作食積注下治

黄連　阿魏　山査肉　神麯

桃仁　連翹　槐花　犀角

各等分爲末以少許置掌中時時舐之津液嚥
下如三分消二即止後服

虛痔

虛痔加味四君子槐角地黃皆增方

三因○加味四君子湯　治五痔下血面色萎黃心忪
耳鳴脚弱氣乏口淡食不知味

人參　茯苓　白朮　甘艸
黃芪　扁豆

各等分爲末每二錢沸湯點服○吳氏方考曰
年高氣弱痔血不止者主之誤服攻痔之藥致
血大下不止而虛脱者亦主之

入門○加味槐角丸　治痔漏通用及腸風下血
依本方加生地黃黃芪阿膠川芎黃連秦艽連

翹升麻白芷方見前條

心法附 加味地黃丸 治五痔滋陰

依本方加槐角黃蘗杜仲獨活黃芪白附方

見虛損門

萬氏 開功散

人參 生津通心氣 黃芪 固表 生地黃 宣惡血涼血

黃連 制心火 各等分 川芎 當歸 二味補血和血

升麻 消風熱腫毒 條芩 涼大腸 槐角 生血涼血

水煎服作丸亦可

面生皰瘡 雞子以三歲苦酒浸之三宿待軟取白塗

之 肘後方

卷之十八

卷之十九

疥癬

謙亭編

乾疥便祕淸凉飮便利麴芩四物湯安肺風面刺

樺皮散久虛腎氣丸烏荊丸

局方○樺皮散　治肺臟風毒遍身瘡疥及癮疹瘙痒搔之成瘡又治頭上風刺及婦人粉刺

荊芥　杏仁各二兩　甘艸半兩　枳殼

樺皮各四兩

爲末每二錢食後溫酒服

入門○古烏荊丸

川烏一兩　荊芥穗二兩

爲末醋糊爲丸梧子大每服二十丸溫酒下

濟世祛風敗毒散　治風瘡疥癬癮疹赤白癜風赤遊風血風癩瘡丹瘤及破傷風在上部加桔梗在下部加牛膝

茈胡五分　前胡　赤芍　枳梗各五分

羌活　川芎各八分　獨活　連翹

薑蠶七分　荊芥　牛蒡子　蒼朮

薄荷六分　蟬退　甘草三分

薑三片煎服　時毒去蟬加防風

溼疥

溼疥便祕通聖散　氣滯復元通氣散　先便利爲脾虛溼熱補中益氣加芩連芍　脾鬱溢汗歸脾　劑胃火作渴竹葉黃芪湯　煎瀉溢腹脹胃苓湯主加芩連　脾肺

風毒首烏瘥

局方○何首烏散　治脾肺風毒攻冲遍身癬疥瘙痒或生癮疹搔之成瘡肩背拘倦肌肉頑痺手足皴裂風氣上攻頭面生瘡又治紫癜白癜頑麻等風

蔓荆子　威靈仙　荊芥　防風

蚵蚾艸　何首烏　甘艸各五斤

爲末每一錢食後溫酒調下○羅氏寶鑑去防風蚵蚾加石菖蒲苦參甘菊枸杞子

回春○祛熱搜風飲　治疥及膿疱瘡

金銀花　苦參君　柴胡　生地黄

黄芩　黄蘗皮　黄連　荊芥臣

砅芥

連翹　薄荷　獨活　枳殻
防風佐　甘艸使
食遠熱服○壽世方去銀苦生芩蘗連防加赤
芍前胡牛蒡子蒼术薑蠶川芎羌活蟬退生薑
治風瘄疥癬癮疹紫白癜風赤遊風血風瘡瘡
丹瘤及破傷風在上者加桔梗在下者加牛膝

砅疥便祕當歸丸煩渴溺澁連翹飲便利活血四
物湯久者當歸飲可任

入門○當歸丸　治疥瘡血熱便祕及疹痘已出聲啞
喘急
當歸五錢　黃連一錢半　大黃二錢半　甘艸一匁
爲末先以歸熬成膏和丸胡椒大每一二十丸

食前米飲下漸加至利爲度

○活血四物湯　治諸疥瘡經久不愈

川芎　當歸　白芍　生地各一錢半

桃仁九箇　紅花一錢　蘓木八分　連翹

黄連　防風　甘艸各六分

附心法當歸飲子　治瘡疥風癬溼毒燥痒瘡

當歸　白芍　川芎　生地

防風　荊芥　白蒺藜各一錢

何首烏　黄芪　甘艸各五分

水煎服

愚按疥瘡便祕蘆會丸或敗毒散磨羚角便利逍遙散

羚角磨久者胡麻散可啄

醫林○胡麻散　治脾肺風毒攻冲搔痒或生瘡疥癮疹浸淫不愈及面上遊風或如虫行紫白癜風頑麻或腎藏風攻注脚膝生瘡等症

胡麻六兩　荊芥　苦參　何首烏五兩

甘草炙　威靈仙三兩

爲末每二錢薄荷煎湯或茶湯下服藥後頻頻浴身得汗多立効一方加防風石菖牛房菊花蔓荊蒺藜各一兩

膿窠焮痛痹壅熱便秘升麻和氣寬合漿膿清不痛者八味逍遥散或八物湯加茹藥腎氣丸

局方○升麻和氣飲　治瘡疥發於四肢臀髀痛痒不常甚至增寒發熱攻刺疼痛浸淫浮腫癩癩當作癩

風入藏陰下溼痒耳鳴眼痛

半夏　茯苓　白芷　當歸各二錢

蒼术　葛根　桔梗　升麻各一錢半

枳殼　乾薑各半錢　大黃一兩　芍藥七錢半

陳皮　甘草各一錢半

每四錢水一盞半薑三片燈心十五莖煎七分

食前服

癩風

癩風初起通聖散（醫林用樺皮散）在上用麻下用硝黄吐劑醉仙下再造吐下後用通聖方加減治之

寶鑑○醉仙散　治大風疾遍身癮疹瘙痒麻木

胡麻子　牛蒡子　蔓荊子　枸杞子各一兩

蒺藜子　苦參　瓜蔞各五錢

爲末每一兩五錢入輕粉一錢拌勻每服一錢茶調下晨午夕各一服後五七日先於牙縫內出臭黄涎渾身疼痛昏悶如醉後利下膿血惡臭屎爲度○丹溪方輕粉二錢餘藥八味各半兩前四味爲粗末炒紫色爲度量人虛實大小

與之

丹溪心法曰在上者以醉仙散取臭涎惡血於齒縫中出在下者以再造散取惡物陳虫於穀道中出所出雖有上下之殊然皆不外乎陽明一經氣受之則在上血受之則在下

纂要 通天再造散

鬱金五錢 皂刺 大黃各一兩 白牽牛頭末六錢半生半炒

爲末每五錢日未出時無灰酒向東服之常日必利下惡物或黑物或臭或虫或膿如虫口黑色乃是多年赤色乃是近者數日又進一服無虫乃止

虛癢四物酒芩入荊芥蟬退調浮萍

皮皺白屑眉髮落自花蛇丸尤可寧

入門○白花蛇丸　治頭面手足白屑瘡痒皮膚皴燥

白花蛇一条　當歸二兩　川芎

芍藥　生地　防風　荊芥

黄芩　連翹　胡麻　升麻

何首烏　羌活　桔梗各一兩

爲末將浸蛇酒和水打糊丸梧子大每七十丸

茶清下

醫統○局方升麻湯　治諸風熱癩肌肉極熱體上如

鼠走口反縱皮色皆變

升麻　茯神　人參　防風

犀角　羚羊角　羌活各一錢　肉桂五分

水二盞薑三片入竹瀝少許煎八分不拘時服

○癘爲血熱初作宜疎泄煎此下瀉青丸爲佳

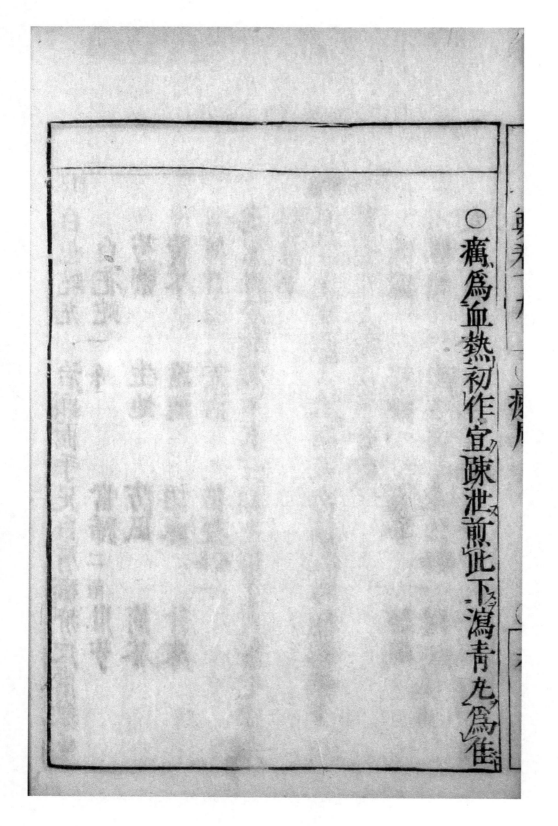

楊梅瘡

楊梅初起通聖散去麻服後去硝黃內外已通成調理加減通聖散尤良

加減通聖散（入門）

防風　白鮮皮　赤芍　連翹
黄芩各八分　牛蒡子一錢　金銀花三分
山梔子　當歸各五分　荊芥　槐花各四分
薑蠶　甘艸各二分

水煎服○初起便祕加大黃一錢○便難加皂角三分○胃弱食少加朮一錢陳皮半夏各五分○頭上多加芎八分茯荷一分○下部多加

牛膝黃蘗各四分○遍身多加木通桔梗地骨
皮各六分○心火加黃連腎火加玄參各四分
○氣虛加參芪血虛加地黃各六分
上體多者敗毒散主加荊防釣藤下體多者龍膽瀉肝湯
而上多者樺皮散剤藥毒補虛仙遺糧湯
○仙遺糧湯　治楊梅風毒及誤服輕粉以致癱
瘓筋骨疼痛不能動履或壞肌傷骨者服此除
根永無後患凡患下疳瘡者宜此預防之
土茯苓一兩　防風　木瓜
木通　薏苡仁　白鮮皮　金銀花各五分
皂角子四分
水煎空心日三服○氣虛加參芪血虛加芎歸

地黄牛膝肺熱去土茯倍薏金○薛氏樞要云

防風加當歸白芷甘艸名換肌消毒飲尤妙

疔瘡

裡	表

疔瘡初起表症多發之追疔或敗毒散加蟬退薑蠶金銀花

集驗○追疔奪命湯

羌活　獨活　青皮　防風

黃連　赤芍　細辛　甘草

蟬退　薑蠶　獨脚蓮各一分

水煎服○有膿加何首烏白芷○要利加山梔

大黃牽牛木香○在脚加木香

裡症多者五聖湯或活命飲便利溺澁黃連消毒散屬

集驗○五聖散　治疔瘡醫學綱目云瑞竹堂方

皂針二兩　瓜蔞一箇　大黃　金銀花

甘艸節各一
薑酒煎服

醫鑑 還魂散 凡患疔瘡癰疽癤毒此藥能令內消去毒化為黑水從小便出萬無一失

知母　貝母　白芨　半夏
天花粉　皂角刺　金銀花　穿山甲
乳香各一錢
酒煎服

托裡消毒欲作膿處者托裡散十宣散續入心作嘔投護心散內托安神散可欲

正宗 內托安神散 治疔瘡針後已出膿時元氣虛弱睡臥驚悸心志不寧或毒未盡流入心竅致

生健忘亦宜服之

人參　茯神　黄芪　白术

麥門冬　玄參　陳皮各一錢　酸棗仁

遠志　甘草　石菖　五味子

水煎臨服入辰砂末三分和匀食遠服

金瘡出血及湯火傷　取老松皮燒存性研傳之或入雞子清調傳一二愈

折傷

折傷未出血攻之承氣活血輕重知

醫林○大承氣湯　傷損極重二便不通乃瘀血不散腹脹上攻心腹悶亂急將此藥通下瘀血後可服損藥

大黃　枳實各四兩　芒硝　甘艸

陳皮　紅花　當歸　蘇木

木通各二兩　厚朴少

水煎服

醫統○復元活血湯　治墜墮惡血流於脇下疼痛不可忍　東垣發明方

茈胡二錢　天花粉一錢　歸尾二錢
紅花五分　大黃五錢　甘艸　穿山甲各一錢
桃仁五十箇
水酒各半煎服得利爲度

濟世○主方　治打撲損傷內有瘀血爲痛爲腫
生地二錢　黃芩一錢半　枳殼一錢半　牡丹皮一錢
赤芍二錢　歸尾一錢　桃仁十二箇　紅花三分
水煎溫服加大黃酒蒸一錢尤効

已出血者須止血四物湯中加減宜血多不甦獨參劑補中益氣尤可怡

正宗○獨參湯　治跌撲損傷或金瘡出血多昏沉不醒者

濟世 補中益氣湯　治撲跌損傷元氣或過服尅伐
惡寒發熱血氣虛弱不能生肌收斂
○六味丸　治損傷症因腎肺二經虛弱
痛甚不忍當定痛沒藥乳香散尤奇
醫林 沒藥乳香散　治打撲傷損痛不可忍
白朮二兩　當歸　甘艸　白芷
沒藥　乳香　肉桂各五
爲末每二錢溫酒下○李氏入門乳香定痛散
有羌活人參無桂如血虛者去羌參加芎芍生
地牡丹
惡血歸肝脇腹脹當歸鬚散寒熱罷毒氣攻腹成
嘔吐平胃散方爲末施

入門○當歸鬚散　治打撲以致氣凝血結胸腹脇痛
或寒熱
歸尾一錢半　紅花八分　桃仁七分　甘艸五分
赤芍　烏藥　香附子　蘇木各一錢
桂六分
水酒各半煎空心服如挫閃氣血不順腰脇痛
者加青皮木香○脇痛加柴胡川芎

破傷風

表　破傷風邪初在表羌活防風發之良或九味羌活湯

河間羌活防風湯　治破傷風邪初傳在表

羌活　防風　川芎　藁本
當歸　白芍　甘艸　地楡
細辛各一錢
水煎服熱則加黄芩一錢○王鳴鶴登壇必究
日大便祕加大黄

半表　半表半裡大羌活

○大羌活湯　治半表半裡之症
羌活　菊花　麻黄　川芎

石膏　防風　前胡　黄芩
細辛　甘艸　枳梗　茯苓
蔓荊子各四分　薄荷　白芷各二分
薑水煎服

裡

入裡芎黄小大量

○小芎黄湯　破傷風藏府祕小便赤自汗不止者宜速下之先服此後用大芎黄湯下之
川芎二錢　黄芩一錢半　甘艸五分
水煎服

○大芎黄湯
川芎一錢　羌活　黄芩　大黄各一錢半

○小羌活湯　利後更服此若搐痓不止亦宜服

羌活　獨活　防風　地楡各一錢

水煎服○有熱加黃芩有痰加半夏

服表藥多汗不止白朮防風湯

○白朮防風湯　若服前藥太過令自汗者宜服

白朮一錢　防風二錢　黃芪一錢半

水煎溫服藏府和而有自汗可用此藥

○白朮湯　治破傷風大汗不止筋攣手足搐搦

白朮　葛根各二錢　升麻　黃芩各三錢

芍藥四錢　甘艸五分

水煎溫服

日久氣血漸虛者主養血當歸地黃或托裏散內托十宣散

○養血當歸地黃湯　若病日久氣血漸虛邪氣

入胃全在養血爲度

當歸　地黃　白芍　川芎

藁本　防風　白芷各一錢　細辛半錢

水煎溫服

風甚成瘡如聖散挾痰三生飲蝎稍餅

入門

如聖散　治左癱右瘓半身不遂口眼喎斜腰膝疼手足麻言語澁遍身癬上攻頭目耳鳴痰涎不利偏正頭痛一切諸風及破傷風角弓反張蛇犬刄叉所傷諸風瘙等瘡及婦人産後敗血衝上並宜服之又可敷貼破傷處

白芷　川芎　防風　細辛各五錢

雄黃二錢半　蒼朮二兩　川烏　艸烏各四錢

爲末每一錢臨臥茶清或熱酒少許調下忌一切動風油膩熱物○一方加當歸麻黃荊芥何首烏全蝎天麻藁本各五錢甘艸二兩人參三錢川烏四兩石斛一兩如損骨者加乳香三錢

癰疽潰後有風痓只大補氣血忌猛劑

補遺方

必究○奪命散　治破傷風如角弓反張牙關緊急

天麻　白芷　川芎各二錢　艸烏

雄黃各一錢

爲末酒糊丸如梧子大每服十丸溫酒下

武備志○禁聲飲　治金瘡疼痛不可忍者三服有効

天南星　防風各等分

每服五錢水酒各一盞生薑一片煎至八分食遠温服ス

身面腫满　雞子黄白相和塗腫処乾再上　肘後方

面生皰瘡　雞子以三歳苦酒浸之三宿待軟取白塗之　肘後方

雀卵面皰　雞子醋浸壞取出傅之　聖惠方

卷之十九

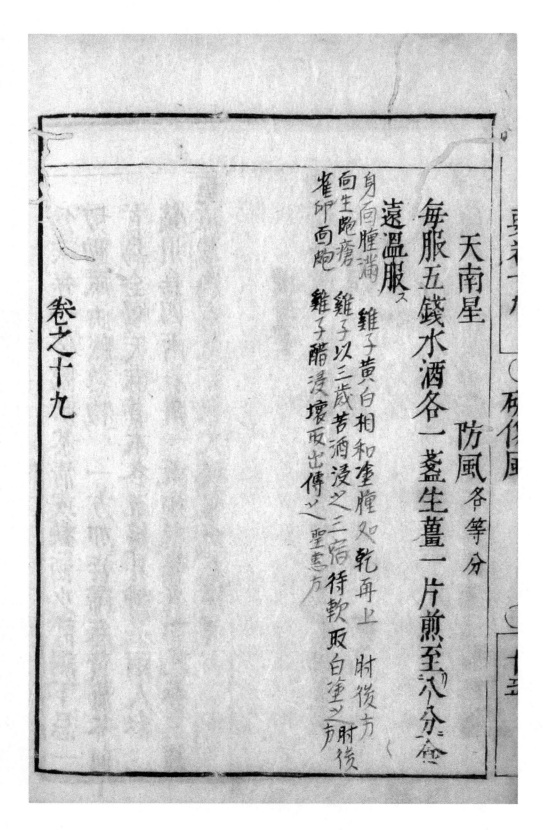

卷之二十　雜科

面部病

面腫風熱　面腫風虛　胃火　胃虛　腎虛

面腫風熱通聖散風虛升麻胃風湯

入門 ○升麻胃風湯　治虛風能食麻木牙關急搐目
內蠕瞤胃風面腫

升麻二錢　白芷　當歸　葛根
蒼朮各一錢　甘草一錢半　柴胡　藁本
羌活　黃蘗　草荳蔻各三分　麻黃五分
蔓荊子二分

薑棗煎服

若因胃火投清胃散益氣湯胃虛不食良腎虛耳

邊徵腫者地黃丸劑可煎嘗
面寒升麻附子劑面熱升麻黃連方

面寒

心法附○升麻附子湯　治面寒者陽明經虛寒也
升麻　葛根各一錢　白芷　附子
黃芪各七分　益智三分　人參　甘艸
艸蔻各五分　葱二根

面熱

○升麻黃連湯　治面熱乃手陽明經氣盛有餘
則身以前皆熱也
即升麻葛根湯加芎芷菝苛荊芥犀角黃連

面黑

面黑與升麻白芷面瘡清上防風嘗
醫鑑○升麻白芷湯　治面脣紫黑乃陽明經氣不足
也

升麻　防風　白芷各一錢　葛根一錢半
芍藥　蒼朮各三分　黃芪　人參各七分
甘草四分
薑棗煎服

○清上防風湯　清上焦火治頭面瘡癤風熱毒
防風一錢　荊芥　山梔　黃連
薄荷　枳殼各五分　連翹　桔梗
白芷各八分　黃芩　川芎各七分　甘草三分
右水煎食後服入竹瀝一匙尤好
中山氏曰防荊薄清頭目芩連梔清鬱熱芎
也枳殼散上焦滯氣連翹逐濕熱消腫毒桔梗
載諸藥而上升甘
草以和逆上也

面生粉刺連翹劑外貼礬硫白附漿

○連翹散　治面上生皶嘴瘡俗名粉刺

連翹　川芎　白芷　黃連

苦參　荆芥　山梔　貝母

甘艸　桑白皮各等分

水煎服　○回春加黃芩名清肺散

回春○治面上粉刺

枯礬一両　生硫黃二錢　白附子二錢

右共爲末唾津調搽臨晚上藥次早洗去

消風養血湯　眼痛赤腫者此方主之　假蔓節莇广兆蓝銅宮鐙

竹叶石决明餘耳各一錢

百點膏　張濟氏眼醫六年以至遮瞳人視物不明有雲氣之狀因用此藥而卻

蕤仁去皮尖三分　斤身　芐節各六　芸八分　連二錢　右剉如麻豆大蕤仁另研如泥同熬滴水

中不散入去沫蜜少許再熬少時為度令病人心靜點之至日中少痛日用五七

次臨臥點尤疾効名之曰百點膏但欲多點使藥力相継也

沙塵入目不出者杵白魚以乳汁和滴目中即出或為末點之　千金方
治一切目疾耳垢晒乾每以粟許夜々點之　聖惠方
治飛絲入目頭上白屑少許揩之即出　物類相感志
治赤目腫痛頭垢一芥子納入取淚　摘玄方
治目上翳龜腦末一兩日點三五度　聖濟錄

眼目

目中浮翳書中白魚末注少許於翳上日二七　外臺秘要

暴病　風熱

暴赤眼疼風熱盛防風敗毒與洗肝

回春　敗毒散　治眼目腫痛因風寒所感者

去參苓加防風荊芥當歸赤芍

通聖散加菊花羌活　主眼目赤腫風熱爛眩內外障翳羞明怕日倒睫出淚兩瞼赤爛紅筋瘀血

局方　洗肝散　治風毒上攻暴作赤目腫痛難開隱澀眵淚昏暗羞明或生翳膜

山梔　川芎　防風　薄荷

當歸　大黃　羌活　甘草

治眼目昏暗每旦含黃柏一片以津洗之終身行之永無目疾 右普濟方

要卷二十 ○眼目

澀

爲末每二錢冷水或熱水調下○埜氏曰加柴胡菊花芎藭尤妙○袁氏全書家傳加龍膽艸生地黃水煎食後服

眼科○明目清凉飲 治一切熱目痛淚羞明

歸尾 赤芍 川芎 蔓荊子

黃連 連翹 防風 荊芥

生地黃 茈胡 龍膽各六分 桔梗

蟬退 菝苛 甘艸各三分

水煎食後臨臥服

澀浸木賊伴鹽术七氣木香流氣飲安

入門○鹽术散 澀則食減身倦地氣冒明如雲霧拂目或忽然不見或累見不明者主之

蒼朮四兩泔浸七日切細入鹽一兩同炒黃去鹽　木賊二兩童便浸一宿晒
爲末每一錢溫米飲下

氣
○木香流氣飲　主七情氣壅勝朧胞腫而軟酸
澁微赤加川芎蒺藜

怒
因怒當歸龍薈丸主

驚恐勞神
驚恐勞神安神丸加菊花麥門冬之類

內傷
內傷益氣聰明湯挾瘀血桃紅四物湯加蘇木寬

醫目
○益氣聰明湯東垣先生方　治飲食勞役脾胃不
足內障耳鳴或多年昏暗服此令目無內外翳
障及耳無鳴聾之患
人參　黃芪　甘艸各五分　白芍
黃蘗各一分　蔓荊子一分半　升麻

葛根各三分

水煎臨臥熱服近五更再服得睡更妙如煩悶有熱者漸加黄蘗盛夏倍之

銀海〇大黄當歸散　治眼壅腫瘀血凝滯不散攻發生瞖

當歸二錢　菊花三錢　大黄　黄芩各一兩

紅花　蘓木　山梔　木賊

水煎食後服

久病

久病昏暗腎虛熱爲抜滋腎明目看

腎虛熱

回春〇滋腎明目湯　治勞神腎虛血少眼痛〇久病昏暗瞳子散大者腎經眞陰之微也

當歸　川芎　生地　熟地

芎藭倍　桔梗　人參　山梔
菊花　黃連　白芷　蔓荊子
甘草減
茶一撮燈心一團水煎服○熱甚加草龍膽柴胡○腎虛加知蘗○風熱壅盛加防風荊芥○風熱紅腫加連翹黃芩
○六味丸加枸杞當歸菊花　主眼目昏暗

腎虛寒

腎實火盛投滋腎腎氣虛寒補腎丸歟

入門
○補腎丸　治兩腎虛圓翳或頭旋耳鳴起坐生花視物不眞
巴戟天　山藥　破故紙　茴香各五錢
肉蓯蓉　枸杞各一兩　牡丹五錢　青鹽二錢半

爲末蜜丸梧子大空心鹽湯下五十丸

火盛

蘭室○療本滋腎丸

黃檗　知母

各等分酒炒爲末水丸梧子大每百丸空心鹽湯下

豐溪吳氏曰此亦治腎虛目暗之方也雖曰補腎亦瀉之之類也脾強目暗者宜之脾胃壞者非所宜也

上盛下虛

眼科○椒黃丸　治上盛下虛內外障翳疼痛羞明努肉侵睛冷熱淚下

川椒　熟地黃

各等分爲末蜜丸梧子大每三十丸溫米泔水送下

肝虚

肝虚補肝尤主劑脾虚益氣補中完

醫林○補肝散　治肝腎俱虚黑珠上一點圓翳日中見之差小陰處見之則大視物不明

熟地黄二錢　白茯苓　菊花　細辛各一錢八分

白芍七分　柏子仁　甘艸　防風各九錢

茈胡六分三錢

水煎服○婁氏曰加芎歸補肝血加天麻朮補肝氣入薑煎服○袁氏全書補肝散有石斛夏枯艸羚角玄參之類

眼科○簡要補肝散　治肝虚目痛眼淚不止怕日羞明目珠痛眉稜角痛及頭半邊腫痛

夏枯艸五錢　甘艸　便香附子一兩

爲末每一錢滾湯下

脾虛 壽世

○益氣湯倍參芪　治日晡兩目緊澁不能瞻視
此元氣下陷也

陽虛

陽虛太補加沉附九竅不通補陽冠

○十全太補湯加白豆蔻附子沉香　治久病虛
損或因尅伐脾胃傷損眼目昏暗或久服寒涼
過度黑暗全不通路服之立見

秘藏

○補陽湯　治陰盛陽虛九竅不通青白翳見大
眥及膀胱肝腎經中鬱遏不通於目經云陰盛
陽虛當先補其陽後瀉其陰是也每早服補陽
湯臨臥服瀉陰丸若天色變飲食不調俱不得
服

肉桂一錢 知母 當歸 生地
白茯苓 澤瀉 陳皮各三錢 芍藥
防風各五錢 黃芪 人參 白朮
羌活 獨活 熟地黃 甘草各一兩
柴胡二兩

水煎服

豐溪吳氏曰參芪朮苓草陳甘溫益氣之品也固所以補陽柴羌獨防辛溫散氣之品也所亦所以補陽歸地芍澤雖曰養陰亦所以濟夫羌防柴獨使不散其眞陽乎是亦所以補陽也用肉桂者取其辛熱者火之象可以散陰翳辛者金之味可以平肝木益眼者肝木之竅以故用之

遠視不近定志丸近視不遠地黃丸般

難知集曰目不能遠視能近視地芝丸主之目

不能近視反能遠視定志丸主之又曰不能近視晨服地黃丸不能遠視臥服定志丸〇海藏王氏曰目能遠視責其有火不能近視責其無水法當補腎目能近視責其有水不能遠視責其無火法當補心補腎地黃丸加牡蠣補心定志丸加茯苓〇田氏曰遠視不近氣旺血衰也經曰近視不明是無水也治宜六味地黃丸加補腎丸諸補陰藥皆可主之近視不遠血虛氣不足也經云遠視不明是無火也治宜地黃丸菊花散

〇助陽和血補氣湯（脾胃論） 治眼發後上熱壅白睛紅多眵淚無疼痛而癮澀難開此服苦寒藥太過

而真氣不能通九竅也故眼昏花不明宜助陽
和血補氣
白芷二分　蔓荊子三分　炙甘草
當歸　柴胡各五分　升麻　防風各七分
黄芪一分
水一盞半煎至一盞熱服臨臥

東垣方
廣大重明湯　治兩目瞼赤爛熱腫疼痛并稍赤及眼瞼痒痛
抓之至破眼弦生瘡目多眵淚隱澁難開
龍胆艹　防風　生甘草　細辛各一錢　右剉如咀内甘草不剉只
作一錠先以水一大椀半煎胆艹一味至一半再入餘三味煎至小半椀
濾去柤用清帯拠洗以重湯坐令熱日用五七次但洗畢合眼一時去
努肉泛長及痒亦驗
雜物眯目不出以雞肝血滴少許即出　聖惠方

涼腎湯　治腎勞實熱腹脹耳聾　生地三錢　赤茯苓　玄參

遠志各一錢　知母八分　黃栢六分

神効明目湯　治眼楞緊急致倒睫拳毛及上下瞼皆赤爛睛疼昏暗晝則冷淚常流夜則眼澁難開　細二分　蔓五分　芸一錢　葛五分　耳二錢　一方加芪一錢　右㕮咀作一服水二盞煎至一盞去柤稍熱臨臥服

明目細辛湯　治兩目發赤微痛羞明畏日怯風寒怕火眼睫成紐眵糊多隱澁難開眉攅腫悶鼻塞涕唾稠粘大便微硬　芎五分　地酒製　蔓各六分　斤稍　苓　藁各一錢　荊芥穗　芸一錢　麻黃根　羌各三錢　細辛少　紅少　椒八分　兆二分　右㕮咀分作四服每服水二盞煎至一盞去柤稍熱臨臥服之忌酒醋濕麵

復明散　治內障　青三分　陳　芎　蒼各四分　耳炙　地　翹　柴各一錢　芪二錢　斤身　右剉如麻豆大都作一服水二大盞煎至一盞去柤稍熱服之食後忌酒醋濕麵辛熱大料物之类

防風飲子　治倒睫拳毛　細　蔓各三分　葛　芸各五分　斤身　耳炙　連　參各一錢　右剉如麻豆大都作一服水二盞煎至一盞食遠服避風寒

蔓荊子湯　治勞役飲食不節內障眼病　蔓二錢　栢酒拌炒四遍　芍各三錢　耳炙八錢　參　芪各一錢　右㕮咀每服三錢或五錢水二盞煎至一盞去柤臨臥熱服

當歸龍膽湯　治眼中白瞖　芸　膏各二錢　柴　羌　會　周各二錢　耳　芪　酒各三分　芩下炒　栢炒　斤身酒洗　草龍膽酒洗　芍各五錢　右㕮咀每服五錢水二盞煎至一盞去柤入酒少許臨臥熱服忌言語

耳疾

聾鳴

耳內聾鳴痰火競二陳加湯蓪櫱萹瞿停

痰火入門○二陳湯加木蓪黃櫱萹蓄瞿麥主痰火耳聾鳴者

風

因風通聖散主風熱耳聾覃芎芷

良方○芎芷散治風入耳壅塞虛鳴

川芎　白芷　石菖　蒼朮

陳橘皮　細辛　厚朴　半夏

甘艸　木蓪　藿葉　桂皮各一錢

薑棗煎服

溼

溼氣防風羌活俱酒炒加入凉膈散中屏或五苓散加陳皮枳梗紫蘇生薑○

酒

溼痰神芎丸○溼熱挾氣木香梹榔丸　因酒防風通聖散可加枳梗

怒

與南星當歸龍會丸治因怒虛人因思者妙香散○憂滯者流氣飲加

氣

石菖蒲○上盛下虛者祕傳降氣湯加石菖　氣滯通明利氣寧

醫鑑○通明利氣湯　治虛火上升痰氣鬱於耳中或閉或鳴痰火熾盛或憂鬱痞滿咽喉不利煩燥不寧

蒼朮　白朮　香附子　生地

梹榔各一錢　川芎八分　陳皮半二錢　貝母三錢

黃連　黃芩各一錢半　黃蘗　山梔

玄參各二錢　木香五分　甘艸三分

薑煎入竹瀝服

腎熱

腎熱主千金腎熱或丸滋腎最可嚀

方考○千金腎熱湯　腎熱耳中膿血不聞人聲者主之

磁石煆紅淬七次　白朮　牡蠣各五及
甘艸一及　生地汁　葱白各一升　麥門冬
芍藥各四兩　大棗十五枚

正傳○滋腎丸　治耳鳴耳聾

陰虛	陰虛四物加知蘗菖蒲遠志或腎氣丸加磁石破故紙黃蘗
陽虛 脫氣 脫精	陽弱菖陽加入八味丸中靈脫氣與補中益氣湯倍參朮加石 呂陽有火加茆蘗苓脫精知蘗加入入參養榮湯中銘
耳腫	兩耳腫疼腎風熱荊芥連翹射干湯

回春○荊芥連翹湯　兩耳腫痛者腎經有風熱也主之

荊芥　連翹　防風　當歸
川芎　芍藥　柴胡　枳梲
黃芩　山梔　白芷　桔梗各等分
甘艸减半
埜氏曰加牛房子尤妙
壽世○射干散　耳王風者耳腫作痛牙關緊急作寒
作熱飲食不下是也云云之
升麻　桔梗　射干　昆布
連翹　甘艸
水煎熱服汗出立愈并治面腫牙痛咽喉痛効
濃汁出膿汁者上焦熱爲用蔓荊子散方
正傳○蔓荊子散東垣先生方　治上焦熱耳鳴聾及出膿汁

甘艸　升麻　木通　赤芍
桑白皮　麥冬　生地　前胡
菊花　蔓荆子各半錢
薑棗水煎服

耳痈出膿　用雞子殼炒黄為末油調灌之疼即止　杏林摘要
百虫入耳　小便少々滴入　聖恵方　又方人乳滴之即出　同上
勞聾已久　童便煎熱少々頻滴之　聖恵方
蜈蚣虫蟻入耳　炙猪肪掩耳自出　梅師方

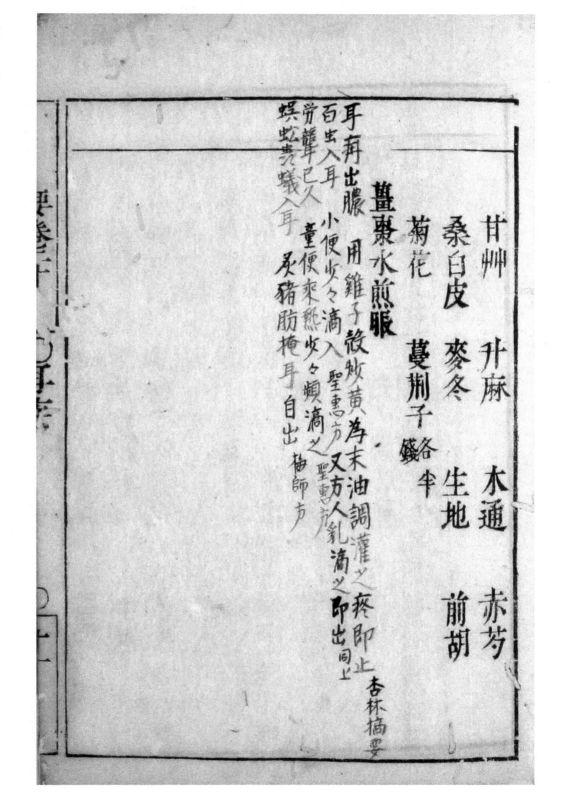

鼻疾

鼻塞

鼻塞外邪宜發散麗澤通氣不聞香

秘藏○麗澤通氣湯　治不聞香臭

黄芪四錢　蒼朮　羌活　獨活

防風　升麻　葛根各三錢　甘艸二錢

麻黄不去節　白芷　川椒各一錢

薑葱棗水煎服○　埜氏曰加辛夷細辛尤良

肺經伏火煎涼膈散加上辛夷荊芥白芷良

鼻鼽

鼻鼽熱輕主二陳湯加芎歸芷防風桔梗羌活薄荷細辛

過房益氣湯加知母蘗皮白芷辛夷藁芎眞

鼻淵

鼻淵熱盛金沸艸散消風散劑肺風鎭

入門○加味金沸艸散　治鼻流濁涕熱盛

黃芩一錢半　荊芥八分　旋覆花四分

麻黃　前胡各六分　甘艸　赤芍

半夏各二分

薑棗水煎服○婁氏曰加白芷辛夷良

肺火桔梗湯與人參平肺散膽移熱於腦防風通聖散

均加黃連

腦漏

久不愈而成腦漏乃桉加味防風湯

壽世○加味防風湯　治鼻流涕久而不愈乃成腦漏

必因斲損元陽以致邪寒內熱甚則有滴下腥

臭之物也

防風　人參　白芨　當歸

芍藥　生地　黄蘗　黄連
知母　百合各一錢　黄芩一錢半　麥門冬二錢
甘艸五分

陽虛腦冷鼻淵甚補腦散方最可良
方考○補腦散　陽虛腦寒鼻淵者此方主之
天雄　辛夷　葈葉
等分爲末飯後酒調下二錢

酒査

酒齄鼻紅清血劑
回春○清血四物湯　鼻赤者熱血入肺成酒査鼻也
川芎　當歸　芍藥　生地
黄芩　紅花　茯苓　陳皮各等分
薑水煎調五靈脂末同服○如氣弱加酒芪

鼻痛

鼻疼正氣二陳詳

入門○鼻痛因風邪入鼻與正氣相搏鼻道不通故痛

藿香正氣散祛風通氣散○有痰火衝肺者鼻

膈隔隱痛二陳湯加芩梔桔梗門冬

鼻瘡

鼻瘡杷葉消風散

○鼻中生瘡者枇杷葉冷湯調消風散食後服忌

煎炒熱物葱蒜外用辛夷爲末入龍腦麝香少

許綿包塞鼻

鼻痔

鼻痔防風稜藻望

○鼻痔肺氣熱極日久凝濁結成瘜肉如棗滯塞

鼻竅甚者又名鼻齆宜防風通聖散加三稜海

藻末調服外用辛夷爲君細辛杏仁少許爲末

和猪脂熬膏候冷入雄黄白礬輕粉麝香少許
爲丸綿包塞鼻數日即脫

口糜散　口瘡糜爛者此方主之，蓋是本濕熱也　栢王各一兩　雄黃　没各一錢

氷五分　為末　每用分許　著瘡上

益膽湯　謀慮不决　肝膽氣虛　口苦舌瘡者此方主之　間多年空三錢

主辞辞神一兩　繞七卜

口舌生瘡　用黃栢含之良　外臺方

口舌脣

口瘡　口瘡胃火宜清胃

壽世 清胃瀉火湯　治上焦實熱心胃二經之火而作口舌生瘡腫痛者并咽喉牙齒耳面腫痛

連翹　桔梗　黄芩　黄連

山梔　玄參　升麻　生地各一錢

茯苓五分　葛根七分　甘草三分

五火　甘露飲瀉黄散治火在脾心肺火煎涼膈散武甘桔湯瀉白散小柴加味肝火治加青皮龍膽甘草甚者當歸龍會丸○腎熱口鹹尤滋腎陰火晡時六味丸美

虛熱　虛熱補中益氣加五味子麥冬虛寒附子理中湯可

虛實 火衰 胃虛 血虛 舌強 舌胎 舌腫

心法附録曰口瘡服凉藥不愈者因中焦土虛不能食相火衝上無制用理中湯參朮甘草補土之虛乾薑散火之標甚則加附子此從治法也

火衰八味丸單太補湯加五味麥冬治無根火不食胃虛七味白朮散貧有火血虛宜四物加五藥麥門冬茹蘖朮苓牡丹隨

舌強痰熱煎甘露飲

舌胎升麻葛根湯

舌腫熱痰如聖散玄參升麻熱膠門

回春○清熱如聖散　治舌下腫如核大取破出黃痰已病又復發

枳殼　荊芥　薄荷各五分　天花粉六分

山梔六分　牛蒡子　黃連各八分　連翹一錢
柴胡四分　甘草三分
燈心十根水煎食後稍冷服
醫林玄參升麻湯　治心脾壅熱舌上生瘡木舌重
舌舌腫或連頰腫痛
玄參　赤芍　升麻　犀角
桔梗　黃芩　管仲各一錢　甘草半錢
薑煎服

歯折多年不生者 鼠脊骨研末日々揩之甚効 載器方

爪牙腫痛 松葉一㧪塩一合酒二升煎漱 聖恵方

齲歯有孔 松脂纴塞須臾虫從脂出 梅師方

牙齒

胃熱

牙齒痛疼清胃散

胃熱甚凉膈散加知母石羔升麻

秘藏○清胃散　治因服補胃熱藥致使上下牙疼痛不可忍牽引頭腦滿面發熱大痛乃是手陽明經中熱盛而作也其齒喜冷惡熱

當歸　黃連夏倍之　生地各三分　牡丹三分　升麻一錢

龔氏回春加茶芩太黃細辛如痛甚加石羔二錢○薛氏加柴胡山梔名加味清胃散

中山氏曰升麻辛寒能清胃經之熱毒黃連苦寒能清胃中之溼熱牡丹皮辛寒解熱破瘀生地甘寒當歸甘溫一則涼血止痛一則和血止痛此平常嗜膏粱之滋味人胸自必

有實火衝經而升成口舌唇牙腫痛也脉此方所清熱破瘀和血脉則上作証息矣

牙熱牙甘露或調承

局方○甘露飲　治胃中客熱牙宣口氣齒齦腫爛時出膿血及赤目腫痛口舌生瘡咽喉腫痛瘡疹已發未發皆可服之又療脾胃受濕瘀熱在裡或醉飽房勞濕熱相搏致生疸病身面皆黃肢體微腫胸滿氣短大便不調小便黃澁身熱

生地　麥冬　枳殼　甘草
茵陳　枇杷葉　石斛　黃芩
熟地　天門冬

等分每二錢水一盞煎七分食後臨卧溫服

入門○敗毒散加荊芥防風升麻石羔　主熱牙因腸

胃積熱開口臭穢難近者

○調胃承氣湯加黃連　瀉膏粱濕熱之火

風牙　風牙痛甚用消風散風熱犀角升麻勝

風熱　○犀角升麻湯　主風熱齒齦腫痛膿汁臭者

犀角七分半　升麻　防風　羌活

川芎　白芷　黃芩　白附子各五分

甘草一分半

風冷　風冷溫風宜七味客寒羌活黑附應

○溫風湯　主風冷入於齒齦不腫不蛀且漸動搖者

川芎　當歸　細辛　白芷

蓽茇　藁本　牡蠣

客寒

○羌活黒附湯　治冬月大寒犯腦令人腦痛齒亦痛

麻黄　附子　薑蠶　黄蘗各三分

羌活　蒼朮各五分　防風　甘艸

升麻　白芷各二分　黄芪一錢

痰熱

二陳湯剤治痰熱加上莘梅枳梗能

○二陳湯　加細辛枳梗薑棗烏棋　痰熱毒氣攻注齒痛者外症咳唾服此仍以薑黄蓽芨等分煎湯候温以舌浸內涎自流出

虫牙

溼熱虫牙宜定痛牙痛上熱用消痛

回春○定痛散　治蟲食而痛者腸胃中有濕熱也

當歸　生地　細辛　乾薑

牙疳

白芷　連翹　苦參　黃連

川椒　桔梗　烏梅　甘草各等分

○消疳散　走馬牙疳者上焦溼熱也主之

花椒　細辛　硼砂　枯礬

銅綠　黃連　青黛各等分

為末先用涼水漱口後將藥末擦在牙縫處

牙宣

牙宣四物湯内服加知蘗牡丹○外消風散加玄硝擦之○陰虛氣鬱者四物湯加香附牛膝側柏葉外敷綠袍散

牙長

牙長滋陰太補堪

方考○滋陰太補丸加鹿茸方　腎虛齒長而動者此方主之

熟地二兩　牛膝　杜仲　巴戟

山茱萸　茴香　五葉子　遠志
肉蓯蓉　白茯苓　山藥各一兩　大棗十四枚
石膏　枸杞各五錢　鹿茸

腎弱地黃揄兩劑胃虛益氣補中甘

壽世○六味地黃丸　牙屬腎骨之餘其牙齒疎脆剝下漸覺齒稀牙蛀去乃屬腎之眞陰虧火牙不堅實矣

入門○八味丸　齒齦動搖者腎元虛也宜滋陰補腎

壽世○補中益氣湯加熟地牡丹芍苓　治胃經虛熱齒牙作痛者

集驗咽喉通治之方　荊芥防風牛房射干黃芩枳殼独活金銀花丹皮生地白芷粉赤芍打心廿根

治咽喉卒腫食飲不通 附後方 白酒和黄柏末傅之冷即易

咽喉

喉閉取痰稀涎散咽疼甘桔與犀消

方考○稀涎散　喉閉數日不能食者以此方吐之涎盡病愈皂角之辛利能破結氣白礬之鹹苦能湧稠涎數數湧之涎去而病失矣

本艸○甘桔湯　通治咽喉口舌諸病

甘艸二兩　桔梗一兩

水煎此仲景治少陰咽痛之方後人易名甘桔湯宋仁宗加荊芥防風連翹遂名如聖湯極言其驗也○王氏元戎曰失音加訶子聲不出加半夏涎嗽加貝母欬渴加五味酒毒加葛根少

氣加人參嘔加半夏生薑噦膿加紫菀肺痿加阿膠胸膈不利加枳橈心胸痞滿加枳實目赤加山梔大黃面腫加茯苓發斑加荊防疫毒加牛房大黃○拔萃桔梗湯即加山梔連翹薄荷黃芩竹葉治熱腫喉痹○外科精義犀角散即加牛房子升麻治口舌生瘡咽喉腫痛熱毒時氣

豊溪畢氏曰甘草之甘能緩喉中之急桔梗之苦能下喉中之氣防風之辛能散喉中之壅

局方○消毒犀角飲　治內蘊邪熱咽膈不利　方見斑疹門

仲景○苦酒湯　少陰病咽中傷生瘡不能語言聲不出者主之

半夏（十四枚）雞子（一枚去黃内上苦酒著雞子殼内）
右二味内半夏著苦酒中以雞子殼置刀鐶中
安火上令三沸去滓少少含嚥之

實火

風熱涼膈散（加荊芥石羔黄連）單通聖散
風燥半苓敗毒散（倍桔梗）攘風熱（併）氣血消風散（加玄參荊荷全蝎）
時行普濟消毒飲徼卒然喉痺尤危急小續
命湯杏仁可倍料

虛火

血虛有火宜四物（湯加桔梗荊芥知蘗）氣虛有火四君調（加甘桔玄參升麻○甚者薑附為向導）有痰用二陳（湯）加減涼藥過（多者）
祕傳降氣湯遵
龔氏濟世曰咽喉腫痛服諸涼藥愈痛用六味
地黃丸料加知蘗玄參甘桔水煎服屬陰虛火

動者宜之

醫統 秘方奪命散 治急喉風

白礬枯 薑蠶炒 硼砂 皂角各等分

爲末每用少許吹喉中痰出即愈

卒喉痒痛 黄栢片含之又以一斤酒一斗煮一沸恣飲便愈肘後方

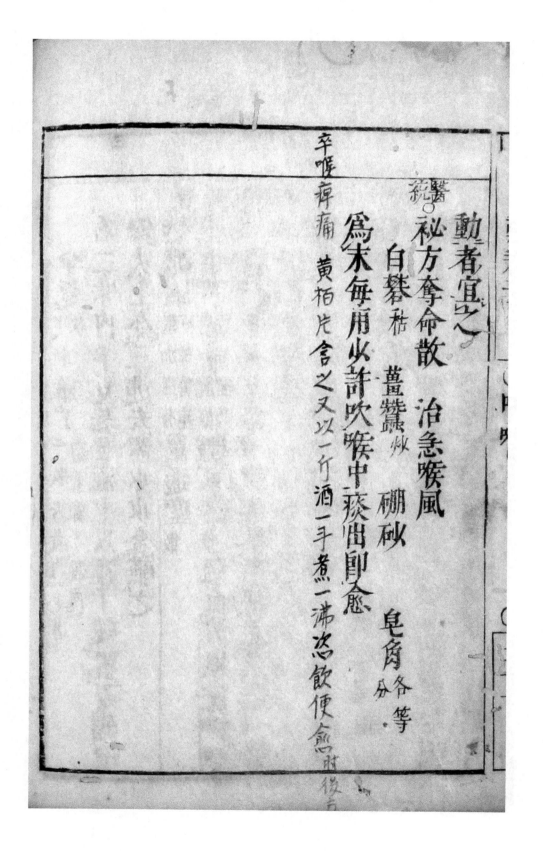

要方歌括　五十方

○婦人科十五方

調經散方君芎歸加萸桂麥門芍藥參艸半夏牡
丹膠經水不調尤可託

調氣養血湯君四物佐香附烏藥縮砂甘艸薑棗
水煎服血虛氣滯乃可瘥

伏龍肝散君芎歸熟地艾葉麥門冬石脂桂薑甘
艸入虛冷經候崩帶併

大溫經湯君芎歸吳萸桂薑膠芍參牡丹艸夏麥
門入虛寒經病崩帶舍

小溫經湯歸芎芍官桂牡丹莪朮等人參甘艸牛

膝煎寒客血室痛皆省當歸芍藥川芎官桂牡丹皮莪朮各五分人參甘艸牛膝各一錢水煎溫服治血海虛寒或爲風邪所襲月水不利

茯苓補心湯君四物佐參艸陳半乾薑枳梗前胡蘇薑棗血虛潮熱無汗良

逍遙散方君歸芍甘艸朮苓柴煨薑薄荷煎服和木土有汗潮熱尤可望加上牡丹山梔子八味逍遙肝乃涼

滋陰至寶湯君逍遙加入陳皮與一母香附地骨麥門冬血虛有痰熱來久

柴胡抑肝散臣青皮芎丹麴梔芎艸麯生地地骨香附蒼寡居獨陰寒熱逐

四物調經湯柴苓殼莪稜朮芷茴索陳香附青皮

砂仁艸經閉挾積氣滯伸
安胎飲方君芩朮臣四物參艸陳皮砂仁蘓葉薑
煎服胎動腹痛不食宜
紫蘓飲方君芎歸參艸腹皮陳炒芍生薑大棗水
煎當臨產滯氣惡心卻
達生散即紫蘓飲去芎薑棗加白朮黃楊煎時入
生葱妊娠九月產無失
芎歸調血飲君芎歸熟地朮苓陳香附烏藥乾薑
益艸丹產後去瘀調氣具
黑神散方君黑豆入歸芍地黃蒲黃桂艸爲末酒
便煮產後惡露成眩當
○小兒科十五方

瀉青丸方羌活芎山梔龍膽當歸風大黃為丸或
煎服急驚搐搦尤可功
惺惺散方君四君細辛花粉桔梗臣茯苓三葉水
煎服虛兒外感此堪匀
人參羌活散即敗毒加上地骨天麻根生薑茯苓
煎同法風熱諸病乃可論
大連翹飲即八正去大黃萹加牛房赤芍蟬歸防
芩入荊柴表裡諸熱涼
地骨皮散臣柴胡知母人參甘艸宜半夏茯苓薑
煎用虛熱肝實尤可治
七味白朮散君四君臣藿香木香葛根調理脾胃
尤良劑口乾作渴吐瀉煩

柴胡清肝散臣梔丹芩連芎歸生地黃升麻甘艸
水煎與肝來侮生諸病良
益黃散方君丁香陳皮青皮柯子甘脾胃虛冷食
停滯吐瀉腹痛乃可含
肥兒丸方君四君黃連胡連史君楂神麯麥芽蘆
會入消疳化積殺蟲誇萬氏去二連麥會加青
橘木山蓮砂
觀音散方君四君蓮肉芪芷神麯把木香扁豆與
藿香能溫脾胃止吐瀉溫脾散去蓮芷麯豆加
入柯桔陳皮者
紫艸木通湯臣參苓糯米甘艸以水煎痘出不快
尤有妙溫脾通溺便閉傳便利不香白朮入方

名紫艸木香爲

解毒防風湯臣黃芪地骨枳梗芍藥望荆芥牛房

水煎服痘出壯熱毒盛嘗出多去防枳荆芍加

歸艸芩柴麴良此名鼠粘子湯

神功散方君保元芍藥紫艸生地黃紅花牛房前

胡煮痘出毒盛血熱良

異功散方君四君木香桂附丁香臣歸朴陳半肉

蔻入痘出虛冷尤可眞

木香散方大腹艸桂心丁香參柯苓車前半夏青

皮入痘出胃冷瀉利靈

○外科十五方

荆防敗毒散夫人參加金銀連翹一味雲林用之

主外科諸瘡在表宜發之

内疎黄連湯　臣連翹大黄芩梔與梹榔木香芍歸梗薄艸癰疽便閉内實良

活命飲方君大黄金銀赤芍芷粉艸貝母防歸皂刺陳乳沒穿山排膿毒

内托復煎散君蒼朮防風地骨芩芍臣桂芪巳歸四君入托理健胃暑時匀

内托十宣散君黄芪參歸芎艸肉桂加厚朴桔梗防風芷排膿生肌冬月和

五香連翹湯有木香乳沉丁香射臍香升麻木通獨活入烏扇大黄甘艸量無名腫毒内外涼

二八流氣飲郎十宣加入芍蘇與木香烏藥枳梹

檳榔子無名惡腫氣滯良

營衛返魂湯　何首烏歸芍木通與白芷茴香烏藥

枳殻甘氣停血滯成瘡是

托裡消毒飲用八物去地加入金銀花黃芪白芷

水煎服氣虛諸腫此尤誇

復元通氣散　君貝母木香茴香青陳皮穿山白芷

甘艸入乳癰結核尤相宜

人參平肺散　君瀉白知母陳皮青皮從五味人參

苓天門肺痿熱咳乃可用

桔梗湯中君貝母瓜蔞苡歸枳殻桑防巳杏艸芪

百合肺癰唾膿尤可望

龍膽瀉肝湯澤瀉車前木通生地亞歸梔苓艸白

水煮肝經溼熱多腿鏵
升麻和氣飲半歸蒼茯梗陳甘枳梳薑葛芎大黃
并白芷燈心十五治諸瘡
乳香定痛散歸朮白芷没藥羌活足甘參爲末調
酒便専醫墜蹼并跌撲乳香當歸白朮各二錢白芷没藥甘艸羌活人參各一錢爲末每二錢溫酒并童便調服治打撲墜躓傷損一切疼痛
當歸鬚散有紅花桃仁甘艸赤芍檳烏藥香附蘇
木桂水酒煎治折傷家
雜科五方
洗肝散方用山梔芎歸防風薄荷甘大黃羌活爲
末服風眼熱腫赤痛堪
滋腎明目湯君四物生地桔梗參艸梔菊芷蔓荊

黃連入細茶煎來久昏資

補肝散方用熟地白茯菊花細辛芎柏子艸柴防

風入眼中諸病取之卻

清胃瀉火湯芩連梔麴梗升麻與玄參生地菝苛

葛根艸胃火口瘡牙腫含

甘露飲兩地山茵陳天麥枇杷枳梡芩石甘等分

煎之用男婦咽牙客熱靈

卷之二十終

烏巣先生著述書目　定榮堂藏板録

醫療手引艸　上篇中篇刊行　下篇未刻　全部二冊

同續編　上篇刊行　中篇下篇未刻　全部二冊

張氏醫通纂要　全部五冊
烏巣道人多年張路玉医通ヲ考究シテ其要ヲ纂集ス仲景ノ方ヲ発明シ
ノ悉ノ類症ヲワカチ傷寒論ノ大備ヲ究雜病トイヘ𪜈凡備ナルヿナレ医家方法大備ノ書也

同薄葉摺一冊唐帙入　薬箱ヘ御入レナサレ候ヤウニ薬方二千有餘方イロハ分ニシテ見
易ク至極文雅ニ仕立申候

治剤經驗　内経金匱ニモトツキ治論ヲ詳カニシ本邦ノ名医名
古屋丹水子北山友松子等ノ治剤方考ヲ弁明シ剤
ヲ治スルノ法備レリ

和韓人參考　稲若水ノ論弁ニ朝鮮人ニ會シテ諸參ヲ正セシ筆語図錄韓參唐參和參ノ品類ヲ悉ク記シテ其偽功能ヲ弁明スル書ナリ右合セテ一部二冊トシ世ニ弘ム

嚴氏濟世方　嚴用和著　全部五冊
宋ノ名医其方法古方後世ヲ合シ其類ヲ尽シ纂集ス中華ノ人モ多ク感賞スル書也

痘瘡祕要　田幡仲盈先生著　全部一冊
世ニ治ヲアヤマツテ不救ニ至ル小兒ノ多キヲ歎シ多年コレニ心ヲユダネ其治法ノ妙旨ヲ得百発百中ノ法アルヲ以テ是ヲ書ニアラハシ世ニ公ニス

刪補醫方大成　片カナ附　療治本　全部一冊
一医家心得ニナルヘキコヲ詳ニノス古方ヲ多クアツメ治術ヲ明ニス

鍼法辨惑　藤井郡子著　全部一冊
鍼法家祕ヲアラハシ且狐狸ヲ去ルノ弁ヲ委クノス

衆方規矩方解大成　全部二冊刊行

本邦良医賢達ノシタシク病人ニアタヘ治療ヲナシ覚ヘタル薬方ノ的(テキ)不的ニ甚深ノ妙理アル事ヲ口受シテ筆記ナシ置レシ考解今日療治ノ目的トスベキ書ナリ

医療衆方規矩大成　副古方後世方経験丸散 湿毒一切経験良方　全部壹冊刊行

此書ハ烏巣道人著述ニアラズトイヘ氏手引草ノ中ニ往々参考スベキヨシヲシルス療用深理ノ書ナリ又近世用イラル丶丸散方ノ効験著明ナルヲサグリ求テ是ヲシルシ附スルニ梅瘡ノ治方諸名家ニ秘セラル丶薬方下疳便毒或ハ古湿トナリテ百方治セサルモ是ヲ用テ治シ得タル湿毒一切ノ療治経験ノ良方ヲノス

中條流産書　村山林益著　旭山先生考閲　全部二冊刊行

産前産後ノ治療ハ中条流ヨシト手引草ニモ記サラル是ハ古書ニ拠ラス的然ニ産婦ヲ治療シ覚ヘタル大法ナレハヒンキタル事ニアラズ実ニ

婦人科ノ良書タルヘシ中世旭山先生校正アッテ改メテ行ス

玉機微義 明徐彦純劉宗厚著

全部五十冊 合本十五冊 刊行

黄帝内経ヨリ仲景傷寒論。金匱要畧等ノ経旨某方ヲ病門ニ悉引證シテ治術ヲ発明シナヲ後世ニ及ヒ孫真人千金方。張子和儒門事親。王燾外臺秘要。厳氏。河間。東垣。丹溪。其餘諸名家ノ書ニ至ルマテ方論ヲ折衷シテノス内経。傷寒論。金匱其外諸子ノ方論病門毎ニ附スルニヨッテ古方後世方ニ貫通シテ大ニ治療ニ益アル書ナリ

刪補方要 好生子著

全部五冊 發行

良医好生子世ニ行ル、回春等ノ雜駁ノ書ニテ治療ヲ誤ルヿヲ歎シ仲景ノ方ニモトツキ輯メタラサルニ後世トイヘ𪜈深ク考究シテ是ヲ撰ミ病門ヲ百九ニワカチ二千有餘方ヲ附ス和漢名医ノ方考治論ヲノス本邦医道盛ニ良医多アリシ時ニ撰レテ専ラ世ニ用イラレシ補海ノ偏見ナク古方後世方ノ療治甚深理ナル書ナリ故アリテ書林ノ庫蔵ニ納テ久シク世ニ流布セス今年先生ノ撿閲ヲ得テ題

名ヲ改メ発行ス

錦嚢外療秘録　全部壹冊刊行

腫物ヲ悉ク畵ニアラハシ治方膏薬ヲ詳ニ記ス附スルニ下疳便毒五痔梅瘡湿毒一切ノ治方ヲ載ス

白澤圖　諸ノ災ヲ除キ其家厄病流行病ヲウケズ其外祥瑞多キ霊畫ナリ　全一枚

本草和解　薬名いろは分畫入　全部八冊合本四冊刊行

薬性能毒并本草ノ要ナルヲ折衷シテ今世薬ノ真偽弁正ヲ詳ニス

傷寒論國字解　雲林院了作撰　唐人李郛ノ古今未解ヲナシ得サル方論詳ニ正解ヲ玄ス　全五冊

金匱要畧國字解　同人作上編　右同断并脚氣論方ヲノス　全二冊

藥種名寄帳　前後集有　いろは分薬ノ異名和名シハカタカナヲ見ルニ便リス

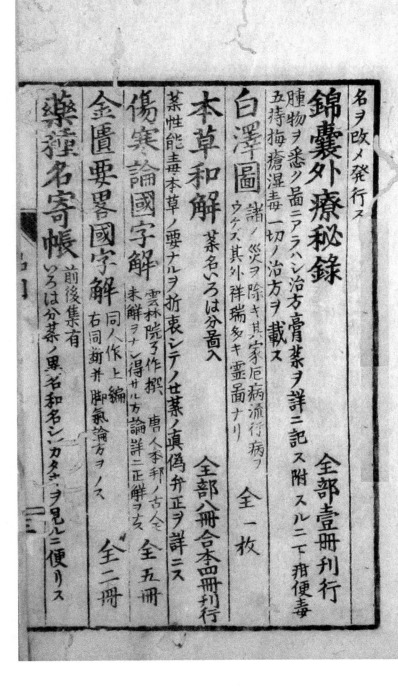

錦囊妙藥秘錄　明王夢蘭著　全部壹冊刊行
單方古方疾病沉痾ヲイヤスコト神ノ如ク的中ナル方ヲ撰アツム

本艸弁明　薬ノ能毒製法真偽等近年国手ノ説ニ糺シ簡便ニ書ス　全部壹冊

華佗中藏經　魏ノ世ノ名医古方ノ遺リテミツベキモノナリ　全部五冊合本壹冊

小兒活法　小児療治本并秘方ヲ輯錄ス　讃陽良医松下元真著　全部一冊

增補燈下集　啓廸院道三先生治療ヲナシテ効驗著明ナル薬方ヲ撰ミ用イ方加減法詳ニ記セラルヽ書ナリ

痘瘡方論　痘瘡痲疹ノ療治本　全部五冊

浪速書肆
高麗橋壹丁目　藤屋彌兵衛
心齋橋南四丁目　吉文字屋市兵衛